迷路と青空

詩を生き、映画を生きる

福間健二

五柳叢書 111

五柳書院

迷路と青空

詩を生き、映画を生きる

カバー作品 ⓒ Kenjiro okazaki

Virtue overthrouwing Perfidy ／老子、天井を払う

2020, アクリル、カンヴァス、20.5 × 16.3 × 3cm

目次

第一部　現代詩

世界のいま、詩のいま　萩原朔太郎賞受賞記念講演　9
青い家にたどりつくまで　展覧会によせて　29
震災以後の言葉　33
フェアプレーの人　鈴木志郎康『結局、極私的ラディカリズムなんだ』　48
結局、詩なのだ　飯島耕一と辻井喬　52
「遅れ」の正体　北川透　62
文学への静かな誘惑　荒川洋治『文学の空気のあるところ』　72
荒川洋治と社会　74
ライヴァル　三角みづ紀　84
せかいの深呼吸　岡本啓　95
迷路と青空　ソウルで話したこと　99
いい詩を書かなくちゃな　ノート・二〇一九年四月　115

第二部　映画

映画、世界、人生　ゴダールとトリュフォー　123
ジャン＝リュック・ゴダールの初期についての10のメモ　130
カツ丼と味噌汁　追悼・若松孝二　132
『現代性犯罪暗黒編　ある通り魔の告白』のときのこと　136
「バッキャロー」の行方　石井輝男と高倉健　142
とんでもないシンデレラ姫　高峰秀子　146
作家のあこがれたもの　映画『そこのみにて光輝く』　159
ベストワン、『笹の墓標』　165
アピチャッポンとともに　169
そうかなあ　追悼・室野井洋子　176
私の映画史　182
恋愛映画10本（外国映画篇）
心に残る、珠玉の10本
青春映画10本（外国映画篇）
画期的な溝口健二論　木下千花著『溝口健二論　映画の美学と政治学』　197

第三部　文学

世界文学のなかの中原中也　中原中也の會講演　203
ノスタルジア、ウルトラ　トランストロンメルについてのメモ　241
アメリカの詩　ゲーリー・スナイダー『奥の国』　252
ルー・リードのニューヨーク　260
スロヴェニアの愛　267
傲慢さと謙虚さと　「演じる」詩人、ボブ・ディラン　271
書けることを書く　ジム・トンプスン『綿畑の小屋』　273
慎重さと冒険心　野呂邦暢　284
彼が抱きしめたもの　小島信夫　291
寒い春　追悼・吉本隆明　295
蒼空を見つめる　追悼・平岡敏夫　303
実感からはじめる方法　追悼・加藤典洋　308

あとがき　312
初出一覧　316

第一部　現代詩

世界のいま、詩のいま　萩原朔太郎賞受賞記念講演

はじめに

いま、平田俊子さん（萩原朔太郎賞選考委員）が『青い家』についてとてもうまく説明してくださって、そういうことかなと、感心してうれしく聞いていました。

この『青い家』っていうタイトルは、この詩集の、たくさん作品があるそれぞれのタイトルを五十音順に並べてみると、「青い家」がいちばん右にきたので『青い家』にしたんです。そしたらこれがたまたま母音だけで、フランス人には上手に発音できないとか、けっこう面白いタイトルになったんだなと思っていますけど。

それともうひとつ、この「青い家」をどこから持ってきたかっていうこと。どこから持ってきたとしても、いまの平田さんみたいに読んでくれるのがいちばんいいってことはありますが、漢詩は読めないけどその英訳なら読めるという感じで、漢詩の英訳を読んでまして、ある作品のなかで見つけたのです。「a drifter in the blue houses」というのを。

本当は複数で、青い家から青い家へとさまよう男なんですが、この「青い家」は、財部鳥子さんがご存知かと思うんですけど、青い楼、「青楼」です。中国語では「青楼」は娼婦たちの家なんです。ちょっと怖いところ。一方、英語ではブルーハウス。爽やかな感じがする。でも、怖いな、みたいなところを、「青い家」に感じとってもらえたかなと思っています。

中国語や英語でどうだったといっても、枕にもなっていないでしょうが、今日は「世界のいま、詩のいま」というタイトルで、話が行ったり来たりするかもしれませんけど、「世界のいま、詩のいま」をできるだけ行ったり来たりしながら話ができないかなというふうに思っていますので、そのつもりで覚悟してください。

ぼくは首都大学東京というところに勤めていまして、そこの表象文化論分野で瀬尾育生さんと一緒にいるんですけど、二人で現代詩センターっていうのを作りました。そこで「詩論へ」という雑誌を出したり、イベントをやったりしていて、そのイベントのタイトルとして考えた「詩のいま、世界のいま」をひっくり返しているだけなんですが、ぼくがしゃべることっていうのは、だいたいこうなるんです。「世界のいま、詩のいま」「詩のいま、世界のいま」、詩と世界がなんとかつながらないか、そういうところがいつも気になっている。あと、エッセイ集のタイトルに使った「詩は生きている」ってこと、詩がどこかに停まって動かないものとしてあるんじゃなくて、生きて変化しているものなんだっていうこと。そのくらいがいつも考えていることです。

今日は少し気合いを入れまして、もうひとつ、英文学を勉強してきたってことと関係しますが、詩の擁護、詩は大事なんだっていうこと。英文学では、たとえばロマン派の詩人パーシー・ビッシュ・シェリーの『詩の擁護（A Defense of Poetry）』が有名ですけど、そういうものにもつながるように話をしたいと思います。

世界を認識する難しさ

まず世界についてなんですけど、要するに、世界をどう認識するかみたいなことはとても難しいことになってしまっているんですが、ぼくが考えているのはそうじゃなくて、全体をきちっと把握するとか、論理的に説明するとか、歴史的にこうなってきて現在はこうでこうなっていくっていう説明こそが、だいたいインチキなんだってこと。そうじゃなくて、説明できない、解けない、謎にみちている世界っていうものを感じとることが大事なんだと考えているんです。それは別にぼくの独創でも何でもなくて、二十世紀に入ったころから、文学・芸術の世界ではそういう受けとり方がむしろ基本といいますか、世界の中心とか核心とか、そういうふうなところではつかめないっていうところからスタートしていると思うんです。

カフカの作品が典型的だと思うんですけど、城なら城を目ざしていって、どうしてもそこにたどりつくことができない。これが二十世紀芸術のひとつのトーンで、世界がとらえにくい、世界がどうなっているのかよくわからない。そうなんだけれども、そしてそのわからなさで遊んでいても芸術は成立するんですけれども、生きていますと、わかっていなくても世界はこうだと決断して、結婚するとか、子供をつくるとかする。そういうことからはじまって、世界はわからないじゃすまないところへ追い込まれるっていうこともありますよね。それがぼくの「急にたどりついてしまう」。詩で書いて、映画でもタイトルにしたテーマなんですが、カフカ的な世界の一方で、わたしたちは猶予なしにさまざまな決断をしいられる。それがいま、ますますつよくなっているような気がします。

このことは、世界っていうのはなにか恐ろしい王様が支配しているとか、目に見えないシンジケートによって支配されていて、どこかに富が集中している。だからコンビニの時給はいつまでも上がらないとか、一面的にはそういうふうになっている世界の中で、どうして自分の給料は上がらないのか、どうしてこんなに息苦しい思いで生きなくてはならないのかって、いわば被害者の場所から、いま、わたしたちがものを言うとしたら、またそれは言いにくいなっていう感じになっているんじゃないでしょうか。

慎重に言わなくてはいけないことですけど、たとえば福島の原発のある町には不幸な目にあった人がたくさんいますが、単に被害者だったとは言えないという面があると思うんですね。一定の自由をあたえられながら、そんなに選択の余地はないというところで、かなり管理されて、ときには監視されて生きているような感じの反面、自分でも権力を行使しているし、管理し、監視している側にいるということがある。そういうところが、わたしたちの存在していることの難しさの一端ではないでしょうか。加害者であると同時に被害者であったり、経営者であると同時に労働者であったり、抑圧する者の側にいたり、抑圧される側にいたりする。

先日出された「現代詩手帖」（二〇一一年十一月号）の福間健二特集をつい何回も読んでしまうんですが、荒川洋治さんが、ちょっとどう理解していいかわからないんですけど、「日本の詩は彼の詩」と言っているエッセイがあります。そこで、ぼくがよく使うパターンとして、他人への「やいば」と自分への「は」を交互に出していると荒川さんは言っています。他人に対する「やいば」と自分に対する「は」を同時に使う。そこは、ぼくが感じている、一面的に被害者でありえないような状況にぼくが反応している感じっていうのを、うまくつかんで言ってくれたのかなと思います。

未来だと思っていたことが、いまは過ぎてしまっている

しかし、いま言っているようなことって、たとえば第二次世界大戦、広島、そして戦後というような状況でもだいたいそうだったんですが、もうひとつ、いま、二十一世紀に入って、世界のつかまえ方ということでぼくが感じていることはですね、それは世代的な感じ方かもしれないんですけど、ある時期に遠い未来として思い描いた夢が、ある段階でやってきてしまった、過ぎてしまったという感じです。未来だと思っていたことが、いまは過ぎてしまっている。

人々はいろんなかたちで遠い未来を思い描いてきたんですけど、科学が発展し、コンピュータが導入され、どういう政治体制であれ、コンピュータが人間の代わりに仕事をしてくれる。そうなったら、ぼくなんかわりと素朴なたちですから、週三日くらい働いてあとは四日くらい休んでいられる、四日分はコンピュータがやってくれて、三日とか、あるいは午前中だけ働くとかですね、そういうふうな社会が来るのかなと思っていたんですけど、コンピュータが導入されてどういうことが起こっているかというと、人員削減、リストラで、十人でやってきたことを三人でやりなさいとなる。その三人の労働条件が非常にきつい状況になっていますよね。

ある種の豊かさをあたえられている一方で、こんなことは予想されたことだったのかどうか。以前よりも格差社会と言われるようになっているし、小林多喜二の『蟹工船』が若い世代にリアルな感触をもって読まれるなんて、そんなばかなことがあっていいのでしょうか的に、猛烈な進歩の一方で、とんでもない、進歩じゃない反対の局面が現われてしまうような、未来が過ぎてしまっているのに古い過去がよみがえってきているような、このペテンにかかっているような感じっていうのは、大きいと思うんですね。これに対して、どういう時間感覚を持ったらいいのか。未来に向かっていろいろなことが良くなっていくということが、複雑な回路をもって崩れてきている。

そこにこそ詩が必要なんじゃないか

そこで3・11以降という状況に入っているわけですが、考え方はなかなか難しいと思うんです。人災だった部分、天災だった部分、どういうふうに考えるのか。信じられていた未来が裏切られたのか。だれかが計算して仕組んできたことだったのか。「想定外」という言葉が使われましたけど、この時点までのどこが想定外で、どこがぜんぜん想定外じゃなかったのか。福島について言えば、今日の新聞でも原発を廃炉にするのにあと三十年かかると出ています。三十年たっても福島は終わらない。秋山基夫さんっていう詩人が書いていましたけど、福島はいつ終わるのか、広島だって本当は終わってないじゃないか、と。こういうふうな世界なんですよね。

人災と天災の区別とかを超えて、ぼくが言おうとしたような経済システムの不条理性とか、そういうものをも超えているような本質的な悲劇性が現われているとしたい。わたしたちがこれから先に生きていく夢をどういうふうに感じていいかわからないような、こういう世界に生きていくためにはどうしたらいいのか。

そこで、ぼくが言いたいのは、そこにこそ詩が必要なんじゃないか、ということです。いろいろと論理的な説明をしたり、小説が利用しているような物語でつじつまを合わせたり、なにか、ある種のトラウマ的な打撃をわたしたちがある段階で受けていて、それゆえにいろいろな問題が起こっているというかたちでもって、還元的にと言いますか、きみはお母さんとの関係がずっとまずかったからこんなことになっているんだ式に社会までも考えてしまうようなやり方に対して、それだけが論理であり物語だというわけではないですけど、それを超えていくためにやっぱり詩が必要なんじゃないか。そういうふうに考えます。

ただそれを超越的なヴィジョンとして言うんじゃない。詩を、超越的な光が射してくるようなものとして言うんじゃなくて、ここにある、うまくいかない論理、うまくいかない物語に絡むところで、詩でそれを超えるのだと考えたいんです。

自分の話なんですけど、たとえば『わたしたちの夏』っていう映画を作りました。その『わたしたちの夏』のなかには物語があって、その物語の解決を、ぼくが考えている詩につなげたい、詩をとおして未来へと生きる道筋をつけたいと考えました。去年の萩原朔太郎賞を受賞した小池昌代さんの小説『わたしたちはまだ、その場所を知らない』は、詩の好きな中学生の女の子を主人公にした、いわば詩が主人公のようなファンタジー的な作品だと思うんですけど、そこでもやっぱり現実的にはどうにもならないところで、詩をもって生きていくということが出てくる。それが夢のように語られたのかな。あるいはまだそこに行きついていないのかな、という感じですけど。

小池さんと話していたら、小池さんの小説は詩人の小説だという見方をされるというんです。小説の側の、自分の守備範囲を守ろうとするのは必死ですからね。詩人の小説とか、詩人の映画だと片付けることで安心したい人たちがいるんでしょう。でも、むしろ小説家の小説や映画監督の映画よりも、詩人の小説や詩人の映画が必要なんじゃないかっていうくらいにぼくは主張したいところがあります。小池さんは、そうじゃなくて福間さんも早く詩人の映画と言われないところでちゃんと映画を作らなくちゃだめよ、としっかり忠告してくれましたけど。

詩と現実とのかかわり方

詩の話に移りたいんですけど、戦後詩から一九六〇年代までって、詩と現実との関わり方がもう少し見えるかたちであったと言えるでしょうか。そこまでさかのぼって話をしていると長くなるので、一九六〇年代後半以降の話にします。六〇年代後半、政治的にラディカルな運動が一方にあって、いままでの詩を壊していくようなラディカルな試みがそれと通底するような要素を持ってなされたっていうことがひとつあります。その段階で、戦後からの日本人の体験を積み重ねてきた先で、六〇年代のラディカリズムの、現実と思想の関係というか、社会をどうするんだ、芸術はどう変わるんだっていうことが、すでにどこか空疎な場所に踏み込んでいたのか。あるいは、六〇年代から七〇年代へと変化していく過程で、学生運動を中心とするような政治的な活動はある行きづまりにぶつかりますけれど、詩の一部は、ある意味でラディカルにずっと続いていくんですよね。この文学、詩におけるある種のラディカリズムに対して、それに対応する現実はないかもしれないとなったときに、詩はいきおいで壊せとやっていたかもしれない。詩のラディカリズムの空振り状態っていうのが起こったかなという気がします。だれが悪いとか、どの世代に責任があるっていうよりも、そこへ追いつめられたっていう感じをぼくは個人的に持っています。

ぼくはたまたま同世代のなかでは早くから詩を書きはじめて、一九六〇年代後半、六九年、七〇年、七一年くらいに、いま自分で読んでみるとよくわからないような詩をたくさん書いているんですけど、そのときの方法では、村上龍、さらに村上春樹が出てくる七〇年代半ば以降の、シラケの世代とかいわれた現実とはすれちがってしまうような感じを持ちました。もちろん、そのころに、荒川さんや平出隆さんや稲川方人さんが自分たちの詩の出発を華々しく遂げてはいたんですけど、現実や社会に対してどういうふうに回路を作って、表現を作っているのかっていう点ではかれらの仕事はわかりにくいものになっていたし、詩の先鋭な部分はそれまで以上に狭い袋小路に入っていくような事態が起こっていた気がします。

そのへんでも、鈴木志郎康さんの仕事がある、荒川さんの仕事もある。わかりやすさというか、荒川さんの考えた社会性ってものも持ち込まれたし、井坂洋子さんからはじまるような女性詩が、ある現実をとらえたってこともある。萩原朔太郎賞が十九回目なんですけど、それこそここまで受賞された方々の仕事を見れば、そんなに詩がひどいことになっていたわけはないんですが、しかしどうなんだっていうところです。

そこに起こった危うさに踏み込んでみますと、六〇年代のある時期から、詩という領域がある一方に、反詩という領域が意識される。たとえば左翼性のつよい黒田喜夫さんなどが考えたんですけれど、詩というのが芸術のよろこびに溢れた世界だとすると、実際の労働や農業をやっているような場所に詩が存在するかと問われた。そういうかたちで、詩という領域と反詩という領域があるような感じ方になった。あるいは、フランス文学の影響を受けた人たちにある、現実と超現実という感じ方もあって、現実から離れたところに詩という超越的な領域があるという考えが、日本の場合、独特につよいかたちで主張された。これは、詩の批評のなかで、ということかもしれません。詩作の上ではそれほどでなくても、詩に求めるべきことを言う詩論においては、そういうふうな意識がつよかったと思うんです。詩がないとされるような場所、たとえば労働があるとか苦しい現実があるとか、そここそが本当は詩の生まれる場所なのに、どうも、そういうふうに考えなかった傾向があったんじゃないかと思います。

夢と現実を合わせたところで詩を考える

ちょっと年をとりましたが、イギリスに才気煥発な批評家テリー・イーグルトンがいます。最近、彼の『詩をどう読むか』というのが日本でも翻訳されましたけど、彼の言っていることで、結局、詩的っていうことはどういうことなのかっていうと、多くの場合、言葉に対して自意識を持つ感じ方、言葉に対する特別な感じ方のことを言う。普通の人はそういうふうに感じないだろうけど、わたしはこういうふうに感じてますよということを見せる、そういう感じが、詩的なのか。いや、そうじゃないんじゃないかとテリー・イーグルトンは言うんですね。そういうふうに自意識的になるのは一部であって、それ以外の要素との両方を体験することが詩的なんだというふうに。詩に対して自意識的になる、自分だけがわかる、自分だけがすごく研ぎ澄まされた感性を持っている、ということではない部分ですね。

日本の詩人たちの批評は、普通の人にはわかりにくいところがあるんですけれど、言語の物質性を強調した詩論も出ました。物質性って、本当にわかりにくいんですけれど、要するに、意味を超えた要素っていうことかなっていう気もします。そうだとしたら、意味を超えた要素と意味を持っている要素を合わせたところで、簡単に言えば、夢と現実ですよね、これを合わせたところで詩を考えたい。そうじゃないところで言葉を一面的に受けとると、詩は生きていないんじゃないか、とぼくは考えます。そういう一面的な批評がもてはやされたことによって、日本の詩のある部分っていうのはひどいままになったかもしれない、というくらいの危惧を持っています。

こんなふうに、ある一部が強調された詩の世界っていうのは、ぼくが知っているかぎり、日本以外ではない気がします。フランス文学のある面がそれをリードしたかなって感じますが、たまたま、ぼくは英米文学、とくにイギリス文学をやってきたんで、イギリス文学的な、普通の、ものの考え方が、しっくりします。まず、個人的なものをきちんと大切にして、さらに個人的なものを突き抜けて広がっていくものとして、詩を考えればいいんじゃないかなと思います。

具体性に欠ける話し方でわかりにくいかもしれませんけど、個人的な趣味に還元するんじゃなくて、個人的ってことは、個人的に生きていく個人のなかに自分ひとりじゃない生が現われているわけですよね。そういうことを大事にしなきゃいけないと思います。文学史につよい人のために言いますと、昭和の初期に戻れば、新感覚派とかモダニズムよりも、プロレタリア文学とまではいかないにしても、社会性を考えた文学のなかに大事なものはあっただろう。小林秀雄のような天才的批評家よりも、中野重治のような、ちょっと愚鈍かもしれない文学者に、現実を見つめる目があっただろうということが、七〇年代のあるところでは忘れられたんじゃないかなと思います。

ロマン主義を救い出さなければいけない

イギリス文学の話でもうひとつ。けっこう大きい話なんですけど、最初にシェリーという人の『詩の擁護』のことを言いました。彼の批評の代表作なんですが、イギリス文学は伝統的に「詩の擁護」を得意とし、そういうことをある時期ごとにだれかが言ってくるわけですけど、それは裏を返せば、詩ってやっぱりいつも擁護しないといけない。小説の時代以降でしょうか。小説に負けるから、詩を一生懸命に擁護しなくてはいけないんだなと思うんです。シェリーとかワーズワースとかキーツとか、たぶん昭和二〇年代のあるところまでは、翻訳で相当読まれてたんですけど、いまはほとんど読む人がいなくなってしまっている。わりと普通に、詩っていうのは人間にとって素晴らしいものなんだよということを言っている人たちなんですよね。フランス文学のある部分のように、難しい理屈と難しい秘密を重ねあわせて詩という密室を作るよりも、そういうロマン派の考え方は健全で、いいところがあると思うんです。そのまま持ってきても、いま通用するのかなっていうところはあるんですけど。

シェリーの言葉をいくつか挙げます。詩っていうのは想像力の表現である。詩はもともと、人間には生まれつき備わった能力である。詩は普遍的な真実のなかで表現された人生の姿である。もっと単純な言い方だと、詩っていうのはすごく幸福で、人間の精神のよい状態のときの幸福な瞬間を記録することなんだと。これ、理想主義的、観念的な大味というふうに感じられるかもしれないのですが、人間を人間たらしめているものとして想像力があり、それが芸術になったり、詩になったりするんだということだと思うんですね。

日本では、このロマン主義的な考え方が猛烈に批判されたってことはないんです。イギリスでは、T・S・エリオットなんかによって軽んじられたんです。それでも独特に生き抜いている。二十世紀は、ロマン主義的な夢を見る者に対して、エリオットのように古典主義的伝統の立場から批判されたり、あるいは現実的なリアリズムからそんなに甘くないよというふうに批判されたりということがあった。そして、二十世紀をくぐり抜けるという過程は、これは悔しいことですが、結果的には二十世紀前半に夢見られたことが全部挫折して終わる。そんな二十世紀となっただけに、ロマン主義は命運を絶たれたようにも思えるんですけど、ぼくはこのロマン主義を理屈では全部潰しても、どこからか救い出さなければいけないんじゃないかと考えてます。ロマン主義は物語小説的なものにつながる余地があるんですけど、詩が小説と出会う場所でもあり、人間が自然に持つ願望とつながっていると思うんですね。でもそれをどう救い出すかは、ぼくとしてもトリック的になるんですけど。

想像力よりも感情

今日のいちばん目玉的なところはここからなんですけど、シェリーの言葉をくつがえすことになるかもしれませんが、わたしたちは想像力っていうのを簡単に言いすぎてきたんじゃないかと思うんです。イマジネーション、想像する力なんですけど、日本でもサルトルから大江健三郎へと受けつがれるようにして、文学には想像力の働きがとても大事だっていうふうになっている。でも、想像する力っていうのは、それ自体として価値があるのでしょうか。ぼくはそうでもないんじゃないかと思います。これはテリー・イーグルトンの考え方にヒントを得ているんですけど、強烈に言いますと、ヒトラーだってスターリンだって想像力であああいうことをやっているんですよ。だから、想像力っていうのは、なにかを考える力、内部を生みだす力だとしても、それ自体にはどこか危険な面もあるし、現実とのつながりということでは、それだけではだめです。詩的想像力とか、文学的想像力とか、なんとか的想像力として言えばいいのかっていうと、どうなんでしょうかね。

で、ぼくが考えているのは、想像力と感情、想像力よりも感情。とてつもない名前を出しますけど、安岡章太郎が、想像力っていうのは、言ってみれば思いやりでしょ、と軽く言ってるんですよ。想像力よりも思いやりのほうがいいですよ。なにかに対して美しい感情を抱くというような、ロマン主義的な、人間としての本来的な何かというところに結びつきます。

倫理的にいいからとか、正義のほうの側にあるからとか、そういうふうに言いたいんじゃないんです。人間の生きていることとつながるところに、想像力を引っぱるにはどうしたらいいかということです。人間の生きている意味、生きていきたいという願望、情熱、そういうものと重ならなければ、想像力とか言ってもだめなんじゃないでしょうか。

ぼくが救いたいものって、ほとんど死んだようなものかもしれません。でも、ロマン主義と民主主義をなんとか救い出せないでしょうか。論理的には、サルトルでも吉本隆明でもミシェル・フーコーでもそういうのには限界がある、と。エリオットも言ったかもしれません。そういうのをうべなっても、なお、救い出さなければいけない。ここで、何によって救い出せるのかというと、詩っていうものがあるじゃないですか。そういう論理的な袋小路で詩を使えないか。そのとき、詩として出てきたものが、現実に負けてもいいんですよ。詩として出てきたものが現実に負けて、それでも生きていく力となるというのを詩だとすればいいじゃないですか、そういう感じです。

もうひとつ。ここに来るときに電車の中で思い出した「救い」なんですけど、ベートーヴェンの音楽とかチャイコフスキーの音楽とか、ぼくはわりと無原則的に好きなんですけれども、気持ちいい感じで。ベートーヴェンとかチャイコフスキーにたっぷりあるようなロマン主義的要素は、理屈で追いつめられても、あのベートーヴェン、やっぱりすごいじゃないかと音楽として感じとることができますよね。詩の問題を非言語的芸術に結びつけて考えるのは強引すぎるとしても、ある行きづまりに対する苦しまぎれの打開策でもいい。音楽に感じるようにロマン主義や民主主義を救い出したいなと思っています。

個人的なものから他者的なものへ突き抜ける

戦後詩で「荒地」の詩人たちがすごくいい仕事をしたんだけれど、うまくそれが継承できないっていうか、いまそれをどういうふうに評価していいかわからないみたいなところがあるんです。これもやっぱり大きいと思うんですよね。

きょう言ったようなことは、荒地派の詩人たちはエリオットやW・H・オーデンやW・B・イエイツから十分に学んでいたと思われます。まあ、どのくらい勉強したかなっていう感じはあるにしても、文学史の大きな筋道を受けとめていてくれたとして、ここで話したいのは、オーデンという存在です。ぼくが思うに、オーデンの方が「荒地」の詩人たちよりも融通がきく要素っていうのがあって、そこをひとつだけ言ってみたいんです。「荒地」の詩人たちは、エリオットやオーデンから文明批判的なものを受けついで、もちろん英文学的に受けついだものだけでは説明できない長所をたくさん持っているんですけど、オーデンの中では、さっき平田俊子さんがぼくについてとてもうまく言ってくれたあたりのことですが、個人的なものから他者的なものへ入っていくというか、突き抜けるということが感覚的な次元であるんです。オーデンの場合はブレヒトから学んだものが大きかった気がします。ブレヒトは個人的に感じていることと表現とのあいだの落差を、意識的に利用していると思います。そこがどちらかといえば、荒地派の詩人たちはそういう可能性を持ちながらも、私小説的なスタンスへ、自分のいる場所っていうところへ帰っていきすぎたのでしょうか。

ブレヒトがいて、オーデンがいて、実は映画でいえばゴダールがいるんです。それともうひとつ、流れがあるんです。ブレヒトがいて、オーデンがいて、ボブ・ディランが来る。こういうふうにオーデンからは、ゴダールやボブ・ディランにつながっていくような回路がある。とりあえず、鮎川信夫や田村隆一や北村太郎の先にはあまりないような感じです。

ぼくについて自伝的って言われることがあります。自分でも言っています。自伝的なことって、一個人の例として文学者が引っかかるべき大事な現実だと思うんですけど、それがひとつの生の例として突き抜けていくような回路が、悪く言えば自分がある程度装置化したり機械化したりしてもいいという部分が、オーデンにはあるんじゃないかという気がします。オーデンの場合のように、具体的なものと抽象的なものが結びつくということが大事なのかなと思いますけど、そこは機会があったら話すことにします。

朔太郎におけるエロスの力

最後の五分で萩原朔太郎の話をしたいと思うんですが、先ほどもあいさつでちょっと言ったんですけど、要するに、朔太郎は高校生くらいのときに、詩っていうのはこういうものだっていう原型的なイメージを受けとった詩人であるということです。ぼくの場合は、やっぱり『月に吠える』のエロティックな部分って言いますか、「恋を恋する人」とか「さびしい情慾」とか、あれにしびれましたよね。こういうことを文学に表現できるんだって、自分のなかの文学が大きくそこで広がったし、多少うしろめたい気もしたという感じで、そこに自分にも詩が生まれてくる下地ができたと考えています。

その『月に吠える』をめぐって、最近うれしいことがあったので言いたいんですが、ぼくの『わたしたちの夏』っていう映画を若い映画監督が見てくれて、これはまるでこんな感じだっていうふうに、萩原朔太郎の『月に吠える』の序文の一節をぼくに読んでくれたんですね。それをいま、ここで読みたいと思います。

我々の顔は、我々の皮膚は、一人一人にみんな異つて居る。けれども、実際は一人一人にみんな同一のところをもつて居るのである。この共通を人間同志の間に発見するとき、人類間の『道徳』と『愛』とが生れるのである。この共通を人類と植物との間に発見するとき、自然間の『道徳』と『愛』とが生れるのである。そして我々はもはや永久に孤独ではない。

朔太郎におけるエロスの力っていうのがポジティブなかたちで表わされた箇所じゃないかと思います。ぼくがイギリス文学でいちばん熱心に読んできたディラン・トマスにもこういうところがある気がします。

今日は、わりと現実的かつ現在的な課題に重ねて話してきたんですけど、その上に、朔太郎やディラン・トマスがつかんでいたような、人が人に感じる、人と人のつながる力、人が宇宙や自然とつながる力、つまり「永久に孤独ではない」ところに行く、そういう力。それこそが詩だというふうに信じたいと思います。どうもありがとうございました。

青い家にたどりつくまで　展覧会によせて

この文章を書くにあたって、四十年以上前の同人誌をひっぱりだして、自分のことを「人生の真実のための怠け者！」と書いているのを見つけた。タイムマシーンで戻って、そんな自分に「そんなこと言ってちゃだめだよ」と忠告してやりたい。

映画も作り、詩も書いているということで精力的にやっていると見えるかもしれないが、どちらも、決着のつかないことをはじめて、抜けられなくなっているだけかもしれない。芸術。文学。詩。ほほえむ女神に出会うことはあるが、それが絶対的にいいものだと信じる気持ちはうすい。

根は、怠け者だ。いまや「人生の真実のため」などとは言えない。ただの怠け者として、みちくさを食ってばかりいる。やるべき大事なことがあると感じても、まっすぐ向かうことはなく、別のこと、二つ三つやってからにしようってことが多い。なかなか宿題をやらない子どもって、ただ単に、宿題よりも楽しいことのほうに気をとられるのだろうか。もう少し面倒くさい心理の動きがあると思う。

まわり道も、つらい。いつのまにか、迷っている。帰ってくるだけでも大変だ。でも、帰ってくる。私の場合、日々の生活は、詩を書く時間をもつことによって、かろうじてだとしても、納得がいく感じになる。もう何十年もそうなのであり、いやでも、いつかは帰って書いている。

気がつくと作品はたまっている。それをどう絞りこんで一冊にまとめたらいいのか。これが、いつもむずかしい。作品のなかでも、作品と作品のあいだでも、簡単には説明のつかないまわり道をしているのだ。

二〇〇五年に『侵入し、通過してゆく』を出した。これは、雑誌に連載したものにノートをつけて一冊としたので、迷う必要はなかったが、そのあと、さらに「侵入」を続けるのか、それともちょっと引き返して態勢を立て直すのかという選択を迫られた。

どっちに行くのか。二つの方向だけでなく、何通りもの誘惑の悪魔がいて、何本にも分かれるクロスロード。夕暮れがくるたびにそこに立ちつくした。迷いに迷った末、かなり居直った気持ちで、同時にあっちにもこっちにも行くような分厚い詩集『青い家』を作った。どうせ厚くするのならと思い、だいぶ前までさかのぼり、前の詩集に入れそこなってきた作品も拾った。普通には詩と認められないようなものも入っている。

二十代初めの『沈黙と刺青』『冬の戒律』『鬼になるまで』の三部詩集も、三十代半ばの『最後の授業／カントリー・ライフ』も、そんな感じでつくったところがある。でも、六十代初めの今回は、縦の時間軸がもっとわかりにくい構成になっているだろう。1A、1B……というふうに分けていったのは、いちおう、ジャン＝リュック・ゴダールの『映画史』を意識したことにしている。しかし、そこでゴダールがどうやっているのか。無責任なようだが、よくわかっているわけではない。

「福間さんの詩集は厚ければ厚いほどいい」と言ったのは、この二十年近く、きっとハラハラしながらだと思うが、私とつきあってくれた瀬尾育生である。なぜそうなのかは別として、その助言はありがたかった。

ちょっとでも隙があれば逃げ込み、揺れ動きながら、でも、世界についても、生きることについても、つかめるものは貪欲に、そしてできるだけ単純なかたちでつかんでいたい。そういうやつなのだ。一方でハッタリ、ケレン味、大好きであり、一方で戦後詩以前の、大木実や木下夕爾といった詩人たちの、ひっそりとした作品を愛していたりする。

結局、物事すべてについて、なにか、うまくまとまらない感じのなかに意外な迂回をもってつながるというのが、好きなのだ。そして、生きているって一方向に歩いているわけじゃないとも思う。『青い家』は、半ばケガの功名的に、少なくとも影を同時にいくつもの方向に歩ませているものになった気がする。

このところの、現実生活上の悩みのひとつは、仕事をする部屋が、自分の性格をあからさまに写すように散らかっていくこと。何をやるのにも、まず、探しものからだ。

今回の展示物は、この散らかった部屋の、愛着あるガラクタから探しだしたものが大半である。どうぞ、これらから私のまわり道を想像してみてくださいと言いたいところだが、これを公開したのをきっかけに、もう少し整理能力のある人間になれたら、という願いが出てきた。部屋のこと以上に、たまっている宿題をなんとかしたいと思う。

震災以後の言葉

震災以後。

二〇一一年、二〇一二年。

何がどうなっているのだろう。

「以後」として見えているものや「以後」を主張しているものが、古さをひきずっている。大きな出来事のあとは、そういうことが多い。今度もそうだ。むしろ「以前」に接続するちがう時間の流れに、変化はおこっているのだ。

表現者は、時代のなかで、自分の「いま」を生きる。その「いま」が、時代のうわべの「いま」に合いすぎるのは、あまりいいことではないだろう。和合亮一の大変さを（遠くからだが）見ているとよくわかる。

二〇一一年の半ばまでに出た和合亮一の三冊の詩集、『詩の礫』、『詩ノ黙礼』、『詩の邂逅』が、ずっと手もとにあった。読みかえしてみた。

和合亮一は、何度も、何度も、出発点のようなところに立ち戻っている。別な言い方をすると、表現への入口を見つけようとして見つけられずにいる。もっと別な言い方をすると、まだ何も言えていないという感覚のなかにいる。

その一方で、自分の欲求とはちがう欲求に応えているように見えるところがある。大きな身ぶりになる。そういう役を演じている。演じさせられているのだ。そこでは、手の届くところに、簡単な答えがいくつもおかれている。

五年後、彼の詩がどうなっているか。それを見たい、とのんびりとすごす時間をともにもったスロヴェニアで、彼に言った。

藤井貞和は、その和合亮一の仕事に「つよい敬意」を抱き、自分になしうる「黙礼」として、『東歌篇――異なる声　独吟千句』を出した。

これを褒めてしまうと、なにか、批評の立ち方がブレてしまいそうだが、これは別格である。震災以後に出会った「言葉」で、いちばんおどろいたし、この原稿を書いているこの時点まで、いちばん残った。ささやかな「うた」だと藤井貞和は言うが、ささやかなんてものじゃない、強烈な表現が、スピード感をもって迫ってくる。

石原よ　陛下に奏上し、進言をせよ

皇居地を東京福島県のまんなかに
京都御所　一条内裏のあったあたりを
改装し、退去するのはいかがであろう
長かった歴史には―愚昧な天皇もいた
後鳥羽院のような　激しい　天皇もいた
英邁な天皇がいま求められるか
もし陛下　この建言を受け入れるなら
わが生のさなか　まさかに見ることになる
英邁な天子が東京を去る。まぼろしか

（「旋頭歌　まがつ火ノート」）

どう言おうか。
自分と社会のここまでをふりかえっての、私的なもの。それを突き抜けて、触れられるかぎりのものに触れようとしている。遠い歴史までさかのぼり、地理的にも広がる。そのスケール。そして、時代の「いま」に踏み込むキワモノ性。どれも、圧倒的である。興奮のなかで書いていると思う。普通、興奮して書いたら、見るも無残なものになる。そこを突破している。藤井貞和という詩人の真骨頂は、これなのだ。

本篇の「鎖連歌」のほうは、『鉄腕アトム』からはじまる。まず、マンガ的である。大胆といえば大胆な、ほとんど冗談のような「建言」。「建言」しているということ自体が、いまの社会の、人々の「了解」を揺さぶっている。

ほら話を聞くように笑ってしまう箇所もある。緻密さを求める目で見れば、この樽の底は、抜けている。でも、そういう表現、そういう文学があっていけない理由があるだろうか。

連歌、旋頭歌という古い形式を使い、『源氏物語』以来の文学史を意識した内容をふくみながら、新しい叙事詩の可能性へと、表現を、そして詩の領域を、「拡大」した。思い込みのはげしさと興奮でやってしまったという感じの、この「拡大」の前には、「以後」の詩作品のほとんどが負けると思う。

メッセージの詩。しかし、「参加」を呼びかける倫理的圧迫感はここにない。

なにしろ、提案ではなくて「建言」である。適度な社会性とは、散文的には敬意を表しながらも、詩の表現では、縁を切っている。狂人になっていい覚悟があって、こうなる。ずっと、ずっと前から藤井貞和はそうなのだ。

和合亮一をはじめとして、「以後」に立とうとする者の多くが、文学的にも、思想的にも、中途半端に古いところに戻ろうとする。それがだめだってこと。ある種のばかばかしさのほうがましだってこと。藤井貞和の表現は、それを教えている。

「あの日」からの変化とは別に、ずっと前からはじまっている変化を、願望と予感もふくめて、どうしていくのかということがあるだろう。どうつながるのか。「以後」は、「以前」からすると大きなチャンスになるのではないかということ。「以前」から連続している自分の表現がどう「以後」へと通じるかという不安の一方で、期待がおこった。そして、これは、表現の問題にかぎらないだろう。

いうまでもないことだが、3月11日以降は、それ以前と同じように「読む」ことも「書く」ことも難しくなった。以前は面白かったもの、面白かったはずのものが、そうは感じられない。以前なら楽に書けていたことが書けない。それとは逆に、以前には無視していたものが気持ちにすっと入ってくる。あるいは、ふだん通りに書いているつもりでも、書き方が変わっている。それは、こちらの問題でもあり、また同時に、ぼくたちが生きているこの世界の問題でもあるのだろう。

高橋源一郎の言葉。彼は去年の萩原朔太郎賞の選評（「新潮」二〇一一年十一月号）をこう書きだしていた。ぼくの『青い家』が選ばれたときの文章だから、何度も読んだ。

文法はそうじゃないが、事態に対して、全部、受け身。この感じ方は、一年たって、どうなのだろう。

書いた内容というのは、そう書いて、そういうことにした、というだけのことでもかまわない。一般的には、そういうものだ。でも、ある場合には、そういうことにしただけじゃないかと反論したくなる。

震災以後の、詩でも、エッセイでも、つまらないのは、第一に、書き手がそういうことにしているだけなのが透けて見えるもの。第二に、そういうことにした、じゃあこうすればいいという答えが前もって用意されているのがわかるものだ。

辺見傭が詩集『眼の海』のあとに出した、エッセイ集『瓦礫の中から言葉を』を読んだ。副題が「わたしの〈死者〉へ」。『眼の海』の作品が何篇か入っていて、冒頭には「死者にことばをあてがえ」をおく。

テレビ番組で話した内容をもとにしている。原民喜、石原吉郎、堀田善衛の言葉が呼びおこされ、ベルクソンからベンヤミンまでの比較的よく知られた「理論」が援用される。言葉について考察する本なのだ。はっきり言って、問題設定がわかりにくい。

終わりのほうにいたって、「人間存在というものの根源的な無責任さ」ということが言われる。堀田善衛の作品にある言葉で、人間は他の人間の不幸になんの責任もとれない、ということ。この「無責任さ」をどれだけ痛切に感じられるかというところに、結論的な焦点のひとつがある。

他者に悲惨なことがおこったとき、人はそういうことを感じる。感じないわけにはいかない。それはわかるけど、「なんだ、そんなことか」とレトリックの晦渋さをいぶかしむ気持ちにもなった。

『眼の海』を読む前に、エッセイ集を読んだわけではない。ただ、高見順賞の選考委員たちの賛辞を読んでから詩集を読み、それから前作の『生首』(二〇一〇)の作品へとさかのぼった。

この作家がこれだけの詩作品を書いてきたことには、ぼくも大きな敬意を払いたい。エッセイとちがって、「なんだ、そんなことか」というものでも、意外な角度をとった抜け方だと感じさせる遊びの感覚が、緊張感の持続のなかにちりばめられている。

　アメリカンチェリーを食べていた
　きみの眼が変だった。
　盲いたのか。

と、悲しんだとたんに、眼はまえにもどった。
どうしたのか問うた。
「瞬膜ができたらしいの…」

とはじまる作品「ある日、乳色の半透明膜に世界がうすれて」。一瞬だけできるこの「瞬膜」が、語り手の「おれ」にも、ほかの人たちにもできるが、〈とくに問題はなかった。〉と結ばれる。コンパクトな短篇小説という感じで解釈を誘うが、「瞬膜」の発見はそういうレヴェルをこえてすごいと思う。

詩集全体としては、並列的な量と重苦しいまじめさが一緒になって迫ってくる。問題意識と、詩を求める心情が、一方に対して一方が規格的な枠として機能しているような周到さがある。それは、どう「以後」を生きているのだと問いたくなる。

美意識も、回想の体験の見せ方も、中途半端に古い。

とくに散文作品「赤い入江」に点在するどぎつさは、何なのだろう。ほんとうのことかもしれない。でも、なにかをなぞったものというふうにしか受けとれない。

そして、「死者にことばをあてがえ」と「眼の化野」で言われる「死者にことばをあてがう」ということ。どこかパウル・ツェランを思い出させるような表現だが、何を言っていることになるのか、よくわからないと思った。曖昧なまま、それはまだできない、いつかできるはずだ、というように答えの方向をつくっている。
それで何がわるいのかと言われそうだが、結局、詩の外から書きながら、詩の、あるいは詩の概念の内側に向かっているだけだという物足りなさを感じるのだ。

須藤洋平の『あなたが最期の最期まで生きようと、むき出しで立ち向かったから』の、「化け物」のパートの、告白のおぞましさも、私には納得がいかない。どうしてそんなことをそんなふうに書くのか。個人的なことにこだわりすぎて、個人をこえたものへと突き抜けられない意識と思考が、そこに見えてくる。

『みちのく鉄砲店』（二〇〇七）を読み返してみた。やはり、どぎつさを見せるところがある。それでも、気持ちのいい「抜け」があった。

今度の詩集でも、いいところはとぼけたような「抜け」を感じさせる。あきらかに、震災以後の作品。

「おいしいものを食べておいしいなと感じること、／きれいなものを見てきれいだなと感じること、／当たり前のようだけれど、そういうのがきっと、／死んでいった人たちへのいちばんの供養になるんだと思う。／今は神さまなんて信じられないかもしれないけれど。」とはじまる「子どもたちへ」や、「あの暮れの雪の中、わずかに足を引きずって歩くあなたの後姿が／頭から離れていかない。／けれど、その引きずった足が私の荒れ地を徐々に徐々に／耕していってくれるのだろう。」と終わる「片時も忘れずに」などである。

一見幼稚な、マンガ的なもの。それが古い意識と思考をかわしている。

どぎつさが、ほんとうのこととして、内容を保証する。そんなのは、私の感じ方では、災厄のむこう側で終わっていなくてはならない啓蒙時代からの二日酔いだ。


季村敏夫の『豆手帖から』は、経験をつんだこの詩人がかなり素朴な書き方に立ち帰っているように見える。

一瞬、かんちがいしそうだが、たとえば「日付が語りはじめる。一月といえば十七日、三月といえば十一日、いや十日、六月は十五日、八月は六日、九日、十五日、十月は八日と受けとめ、いずれの日にも、自分だけがいないという遅れが、ひいふうみい、隠れている過去をあぶりだす。」（「つきのき」）というような記述は、特別な「秘密」を弄んでいるわけではないし、わかりやすさへの安易な「退行」とも無縁のものだ。

佐藤泰志の『海炭市叙景』が出てくる。ほかにも引用と言及があることで、現在という地面に冷静さと弛みが保たれ、過去がくっきりと結晶化してあらわれている。

「こごみ」という作品では「いま起こっていること、そこに、過ぎ去った私的な、奪われた時間が泡だっているとしたら。」と問い、「あかるむ庭」では「「血まみれ」になっているはずの声が光になって戻っている。」とおどろき、「ほどかれしもの」では「止まりそうでとまらない、手のふるえ。七十八回転、歪んだＳＰ盤から、ふらちな、旋律。」を聴く。

どうだろう。暗さ、重さ、どぎつさをつくる思わせぶりな背景を脱して、「以後」をしっかりと生きている詩だ、とぼくは思う。

季村敏夫は、神戸の震災のあとに『日々の、すみか』（一九九六）を出して、多くの人の共感を得た。その彼がいま、あとがきに「ここぞというとき、逃げていた。距離を置き、見て見ぬふりをし、その記憶を沈めた。こずるいタイプだった。」とまで書き、エッセイ集『災厄と身体』のいくつかの文章にもそのトーンがある。

誠実さというようなものを踏みこえるほどに自分を追い込む。でも、力んでいない。

ふりしきるもの
さざなみ小路の向こう
雲の破片が沈んでいく

（「あかり」）


〈外に出れば、買いものかごからコロッケのにおい。コロッケの好きだったおじさんを慕い、集まってきた子どもたちからも、かおっていた。〉という散文部までの作品。

いま出会っていいまじめさは、この「コロッケのにおい」がするまじめさだと思った。

一九六〇年代後半からの、「参加」をめぐる倫理的な意識を引きずりながら、一篇一篇に清潔な思いをこめて書いている。もう何も恐れることはない。そんなふうにも思わせてくれる大きさをもった「豆手帖」である。

『災厄と身体』の「ふり返る八月」というエッセイにも、中原中也の詩にふれて「しくじり、落魄、傷のうずき、それらすべて、そのままでそれでいい。」という箇所があって、ほんとにそれでいいと思った。

しかし、一九六〇年代後半の「あらし」は、なにも、まじめさだけに収斂するものではない。秋亜綺羅の『透明海岸から鳥の島まで』は、それを思い出させてくれる。

一九六〇年代後半から生きのびているものが、今度の震災も生きのびて、もうひとつ乱暴に弾けているよ、といった詩集。禁欲的な窮屈さのない、簡単な形式に、普通に思っていることをうまく入れている。

それで何を言えるのか。これは、ひとつの果敢な実験だといっていい。いいところでは、だれにでもわかる日本語で、まったく凝るということなしに、立派そうな表現が取り逃がしているものをつかまえている。

すべての生物は、生物のふりをしていた

すべての時間は、時間になりすましていた　すべての風は、風のなかにひそんでいた
すべての水平と地平は、鳴り響く警告音とカクテルされた

（「津波」）


会いたいという名の孤独。

会えないという名の約束。

恋でもないのに、好きだよ。

きのうも、そう思った。


（「きのうも、そう思った。」）


という具合だ。そして、根底には、ある日からの、「自分のことばを見失った」体験を意識しつづけるまじめさがある。季村敏夫と方向はちがうが、詩とともに破局をこえてきた長い時間を感じさせる。そうだけど、どこまでも怯まず、冗長になることもおそれず、明るい表層を、気楽にくりだす言葉で押し広げていく。

若い詩人たちの仕事とならべて読みたい詩集である。

まじめさ。季村敏夫にならえば、六月十五日や十月八日を忘れず、「ここぞというとき、逃げていた」と感じるようなまじめさ。あるところでは、私だって、これにしてやられている。高橋

源一郎だって、村上春樹だって、そうだろう。

そう思ってみるとき、おなじ世代の荒川洋治の徹底したクールさが光って見える。文庫本になった『詩とことば』に収められた彼のエッセイ「詩の被災」に触れなければ、私のこの文章は終われない。

「そういうものを人々は受けとった。「そうか。詩は、この程度のものなのだ」と感じさせることになった。だとしたら、これは『詩の被災』であり、『ことばの被災』である。詩が、ことばが被災したのだ。」

ここで納得できないのは、彼がこの国の詩を守る立場にいるように聞こえることだ。彼は、かつて、上品ぶった「秘密」と戯れているような詩をその聖域から引きずりおろし、「荒川以後」という区切りをつくったとぼくには思える。その彼がこういう言い方をする。おどろく。

人々の詩の受けとり方を問題にしてまで、世俗の場所に守らなくてはならない詩があるのだろうか。和合亮一をはじめとする詩人たちが書いた「そういうもの」など、是非は別にして、たかがしれている。

もっと本質的なところで詩は揺れたと私は思う。日本のさまざまなものとともに詩は揺れ、いまも揺れている。前から腐っていた部分がとくに、である。それは、詩を書くだれのなかにもある。

変化は「以前」からはじまっている。一方、「以後」の停滞の先を歩いている詩として、二〇一二年は、たとえば望月遊馬の『焼け跡』のような、ふしぎな明るさをもつ詩集に出会うことができた。それを頭のすみにおきながら、ここまでを書いた。

フェアプレーの人　鈴木志郎康『結局、極私的ラディカリズムなんだ』（書肆山田刊）

鈴木志郎康は、私が一九六〇年代の後半にその表現に出会った人たちのなかで、いまも表現者として生きているな、と納得できる活動をしている少数の人のひとりだ。

最近は、ツイッターで自宅の庭の花のことを書いている。むだのない言葉で見事なワンショットを決めているという感じで、ツイートが出るたびにうれしくなる。

写真も付く。映像と言葉の両方で仕事ができる、いまの日本ではそんなにいないだろうという表現者のひとりでもある。

詩人の小峰慎也が言っていたことだが、鈴木さんは、ミクシーでもフェイスブックでもツイッターでも、ちゃんとその媒体に合った表現をつくることができる。

ただ新しいものにつきあっているのではない。器用さなどということでもない。プロでもアマでも、専門家でも初心者でも、平等に表現ができる場に対して深い理解があるのだし、そういう場こそ鈴木さんの意欲がつねに向かってきたところなのだ。

個人的な縁ということでは、私が私家版の詩集『最後の授業／カントリー・ライフ』を出してカムバック（！）を果たそうとしたとき、鈴木さんに月評でそれをとりあげてもらったのが、つきあいのはじまりだ。

あそこで、鈴木さんの言葉に励ましてもらわなかったら、そのあと、それでなくても怠けぐせのついているのが、もっと怠けて生きただろうと本気で思う。

それからしばらくして、鈴木さんが「ジライヤ」という雑誌を出していた私と妻の暮らしぶりに興味をもち、『戸内のコア』という映画を撮ってくれた。

その撮影で鈴木さんがうちに来るたびに、いろんなことを話した。だいぶ話したな、ちょっと疲れたな、というところで「そろそろ撮りましょうか」となるのが、鈴木さんの撮り方。だいたいひとりで撮影も録音もおこなう。『戸内のコア』では、映画作家の小口詩子がときどき助手として付いていた。

いちばん感じたのは、鈴木さんが徹底してフェアプレーの人だということだ。

物書きのプロであり、NHKでカメラマンをやっていた経験もある。いわゆるプロの世界をよく知っていて、プロのずるさ、派手さ、厚かましさが大嫌いなのである。

私が『岡山の娘』の編集に入ろうとしていたころ、大学院の授業で鈴木さんの詩と映画をとりあげた。鈴木作品のDVDをまとめて借りるために、久しぶりにお会いしたのだが、大学でも映画でも悩むことがいろいろあった私が、なにか、鈴木さんと別れがたくなり、あまり飲めない彼に何時間もビールをつきあってもらった。そのときの、鈴木さんの「ぼくならＮＧカットだけを使って編集する」という一言が効いた。

その通りにやれたわけではないが、気がラクになり、映画のことだけでなく、窮地を脱することができたと感じている。

本書は、映画、写真、漫画、詩を対象とした、作者たちにやさしい批評であると同時に表現の根本を考える、中身の濃い文章を集めたものだ。人が個体であり、個人である、そのことから生みだされる表現。それに対してフェアーな強調点が打たれていく。

読んでいて、実に気持ちがいい。

一九六〇年代に「極私的」という言い方を発明した鈴木さんの方法は、いまも新鮮である。たとえば、詩について、言葉のあり方から詩人のあり方を浮かびあがらせる。そのとき、従来の文芸批評の詩人論や作家論とはまったくちがう道筋をたどっている。雰囲気的なものからの推断を介在させずに、表現に素手で向きあうという印象だ。

映画関連では、ジョナス・メカスと小川紳介をていねいに論じ、共感を語りながら、自分とのちがいも言う。メカスの詩もとりあげているが、メカスの影響を受けて映画を撮りはじめた鈴木さんが、メカスとはちがうことをやっているのがよくわかる。わかりやすく言ってしまうと、鈴木さんに比べたら、メカスも小川紳介も山師的なのだ。

映画作品『十五日間』の採録シナリオも入っている。原稿を書きまくる生活を送りながら、毎日カメラの前に立った。表現へのつよい意欲とともに、そこに見えてくる「怯え」こそは、鈴木さんの表現の核心にあるものだと思えるが、ここは作品論の場ではない。

極私的。

「人として一つの個体であることを極点に据える」というそれは、ただの「私的」や「個人的」や「主体的」とは異なることだ。わたしたちが個人であることから生みだすものと、それとともにそのことをこえて生みだしていくものに、光をあてているだろう。

そのためのフェアプレーであり、妥協のないラディカリズムなのだ。

ゴダールに学んだ言葉を使わせてもらえば、「美しい感情」をもつ批評の本だ。

結局、詩なのだ　飯島耕一と辻井喬

飯島耕一と辻井喬。二人に共通するのは、著作の数が多いことである。そんなふうに生産できる書き方だと言ってしまえばそれまでだが、書いたものを次々に本にしている。性質は異なるけど、「詩の外での活躍」ができて、それが存在感を大きくした。一九三〇年生まれと一九二七年生まれ。かれらよりも若い詩人たちの多くとはなにかがちがう。そう感じさせる。

飯島耕一のことは、ある程度わかっている気がしている。私がこれから本腰を入れて詩人論を書きたいと思っている詩人は、何人もいない。彼はまちがいなく、そのなかのひとりである。詩史上の重要さばかりでなく、彼の詩には文句を言いつつも四十年以上ずっと親しみを感じてきた。

文句を言いつつも、ということでは、辻井喬の詩についてもそうである。とくに「わたつみ」三部作の一冊目『群青、わが黙示』（一九九二）との出会いは、大きかった。本誌の詩書月評をやっていたときで、批判的なことを書いたと思う。でも、T・S・エリオットの『荒地』を意識したその構成の立体感には、エリオットをふくむ英米の現代詩を読んできた私を招いているものがあった。それ以来、歴史や社会に対してなにかを言おうとする詩の作者として、私は彼に敬意を払ってきた。

この機会に言っておくと、辻井喬＝堤清二は東京生まれで、藤井貞和や私が出た都立西高の前身である旧制の府立十中を出ている。遠い先輩なのだが、それを意識したことはほとんどない。飯島耕一は岡山市生まれで旧制六高を出た。六高は戦後、岡山大学になる。私は一九七九年から五年間、岡山大学に勤めた。年配の同僚に飯島耕一をおぼえている人たちがいて、彼のことをよく話題にしていた。

辻井喬は、『彷徨の季節の中で』（一九六九）からの自伝三部作をはじめとして、その生い立ち、家族との関係、そして学生時代の体験などをいくつもの小説に書いている。同時代で、こんなにも自分を「告白」している詩人はほかにいないだろう。実業家堤清二としての顔も、一九七〇年代の後半あたりから、西武セゾン・グループの「不思議大好き」「じぶん新発見」「おいしい生活」といった広告コピーにかさなって意識されてきた。戦前の幼少期から晩年までの時間を、ひとつの典型のように生きながら、こんな人、他には見当たらないという特殊例になっている。

私は映画少年だったから、飯島耕一の文章に初めて出会ったのは、映画批評家小川徹の編集する「映画芸術」という雑誌だった。あとから考えると、思い切りのよすぎるほどの「詩人の見方」で映画を批評する彼もまた、映画好きの「凶区」の詩人たちとともに、十代の私の前に詩と映画をつないでくれたのだった。

そして一九六八年七月発行の現代詩文庫版『飯島耕一詩集』は、詩を書きだした私がくりかえし読んだ現代詩文庫のひとつである。まったくちがう方向から光をあてる岡田隆彦と小川徹による作品論と詩人論が付いていた。小川徹の「飯島耕一における詩と真実」は無類のおもしろさだった。いま思い出したが、小川徹も飯島耕一も星占いでは私と同じ魚座であることがその文章でわかった。魚座の人間は「精神性と肉体性が分離して、アンバランスにそれぞれ極端に発達している」と書かれていた。しばらく、二人の書くものにも自分にもそれが当たっていると信じていたかもしれない。

この詩人は「瀬戸内海に面した岡山で、空と島といい空気をすって、ワンパク小僧の少年時代をすごし」「十才くらいの時から、ピアノ教師をやっていた母親のところにくる女学生にかこまれ」「性は彼の人生の大きな重圧ではなかったようである。幸福な奴だったのである。」と、小川徹はユーモアを交えて断定した。雑駁といえば雑駁である。しかし、日本の詩人を語った文章では稀なというべき解放感が立ちのぼっていた。私はこれも的はずれではないだろうと頭に入れて飯島耕一を読み、その詩からも解放感を受けとった。鬱になっても、向日性を失わない。そういう詩人だと思って読んできた。辻井喬が自分で語った「彷徨」と「遍歴」の暗さが対照的に見えてくるが、それはあとで触れたい。

久しぶりに岡田隆彦の「飯島耕一論」も再訪してみた。晦渋であるが、まさに一九六〇年代の活気を感じさせるものだ。これだけの熱意で語ってもらった飯島さんの幸福を思った。時代のよさを言いたくなる。私の同世代の詩人たちの仕事が年下の詩人にこんなふうに距離を詰めて論じられている例を知らない。

飯島耕一の映画批評の白眉とも思える「大島渚と『青春残酷物語』」(「映画評論」一九六〇年七月号)からの一節が引用されている。「『青春残酷物語』の少年が筏のうえで、少女のブラウスを剝ぎとるようにして、現実の真実をおおっている涙やヒューマニズムを剝ぎとって見せなければならない。」

大島渚、この日本ヌーヴェルヴァーグの旗手も、二〇一三年に亡くなった。年齢でいうと飯島耕一より二つ下である。大島作品をめぐってのこの言葉は、当時の表現者が共有した課題の一端を鮮明に示すものだ。岡田隆彦は、そう書いた飯島耕一が詩ではそれができていないではないかと問おうとする。「行動性の欠如」を言い、「室内楽を超えられない」とも言う。きびしい批判であるが、飯島耕一ひとりに向かうものではなく、一九六〇年代に詩がやろうとしていたことへの熱い願望が感じられる。

岡田隆彦の言っていることは、わかりやすくはない。しかし、飯島耕一が「人間全体のあり方」を追求するモラリストの一面をもちながら、「倫理的にならんとする自覚が、詩作上、その性急さかげんによって、いやおうなく、表象としてのイメージを希薄にしてしまう陥穽を備えもっている」という指摘は、わかる気がする。倫理性はどうでも、飯島作品に不満を言うとしたらここだというところを押さえている。

懐旧談は慎みたいのであるが、自分の場合も二十歳前後の体験が大きかったとあらためて思う。一九六八年、六九年、七〇年。はげしい風が吹いていた。『他人の空』（一九五三）から出発した詩人が、どこか飄々とした表情で、その風に吹かれながら自分の場所を確保していた。それを目撃した。

かどのバス停で
浅丘ルリ子が
赤いマニキュアの指で
つまんだ一本のタバコ
その煙と赤い唇のあいだに
一切のまぼろしが立ちのぼる。

ポップな感覚。でも、地に足がついている。たとえば、こういう部分をふくむ長篇詩「過ぎし戦いの日々を想う八月の詩」。これは、おどろおどろしさの上に滑稽な抜けがあるといった響き方をする土方巽の朗読によって、ラジオ放送された。大岡信の詩集のタイトルを意識して言うと戦争の「記憶」を当時の「現在」のなかにパッケージ化したというべき、まさしく一九六八年の詩である。

七〇年代になってしばらくすると空気が変わっていた。飯島耕一は十分に持ちこたえていた。私はその変わり目を象徴するものとして、鈴木志郎康の『やわらかい闇の夢』(一九七四)を考えてきた。『ゴヤのファースト・ネームは』(一九七四)はそれに匹敵する盲点の突き方をもつ。こんなことずっと前から感じていたよ、という顔がそこにはある。そしてさらにずっと長く、世紀が変わったあとまで、彼は持ちこたえるのである。

個人的には、彼の詩のよさがほんとうにわかったのは八〇年代の半ば以降である。私は六〇年代からの「密度」にも、そこから解き放たれた「薄くてなぜわるい」という居直りにも耐えられなくなっていたが、女性詩人たちと荒川洋治への共感から新しい活路がひらけた。男性詩人をもうひとりあげるとしたら、飯島耕一だった。その詩は、いわば岡田隆彦の危惧した「イメージの希薄さ」を逆手にとって、社会と人間の、戦後からの「浮き方」を呼び入れる書き方になっていた。ソ連帝国が崩壊する一歩手前の一九八八年の『虹の喜劇』は、その大きな成果である。「病気」の日常を世界史的な喜劇への通路にまでしている。その年、『ムーンドロップ』を出した吉岡実は「今年はおれのと飯島のだ」と言ったそうだが、吉岡実を満足させる中身をもつとしたら「イメージの希薄さ」でもなかなかのものではないか。

そして『浦伝い 詩型を旅する』(二〇〇一)と『アメリカ』(二〇〇四)まで行く。もうなんの気どりもない。何ごとにも素手で立ち向かう。普通にものを言って、しかも歌える詩人。ノスタルジーをもけっしてベタつかせない、いいかげんさの魅力が充溢している。かなわないなと思わされた。

普通にものを言うという姿勢は、この国の歴史と社会を視野に入れてきた辻井喬にもある。しかし、彼の場合は正解の「普通」である。それが息苦しい。私が文学者辻井喬に関心をもつようになるのは、「おいしい生活」が流行った時期よりもずっとあとだった気がする。あるとき、志賀直哉の『暗夜行路』を意識した題の小説『暗夜遍歴』(一九八七)を読んで唖然とした。父への反発と和解の物語も、母と息子の物語も、一種のおぞましさの装置となっている。自分の生き方を自分で納得するための装置であり、そこから正解が救いだされなくてはならないのだ。

衆議院議員になった時期の父堤康次郎をモデルとする小田村大助の辣腕ぶりを説明する文章に、「月子が性の営みについては全くの無知で、はじめ烈しく彼を拒否したことは、小田村大助の喜びを殊のほか大きいものにした。」とつづく箇所など、大衆小説的に笑って読まないとしたら、どう受けとるべきなのか。志賀直哉がその痩せた名文でなんとか始末したといえる「病気」がまだ大手を振って歩いている。私は驚いた。

自伝的作品のほかに、どぎつさを抑えた『命あまさず　小説石田波郷』(二〇〇五)などのモデル小説も書いた。それも黒古一夫の言うように「もう一人の自分」を求める仕事だったとすれば、いわゆるアイデンティティーにこだわりつづけた作家なのだ。全部読んだわけではないが、読んだかぎりでは、辻井喬の小説は作者が「私」を始末できない文学の限界を示している。小説の常套的表現を連発すること以上に、そこに致命傷がある。

飯島耕一の小説はどうだったろう。ドゥマゴ賞を受けた『暗殺百美人』（一九九六）は、いまもこの国でしぶとく生きのびる「古い文学」への爆弾にはなっているだろう。詩人の小説。それでわるいということはないというのが私の持論だが、書き流していて、タメがないと思う。それは『定型論争』（一九九一）でやっている議論にも感じたことである。やはり、勝負は詩なのだ。

『憲法に生かす思想の言葉』（二〇〇八）などの、辻井喬の近年の啓蒙思想家的な仕事については、どう言えばいいか。内実はおくとして、かつて共産党から除名された人間が共産党との「復縁」を果たした。そこでまた和解であり、さらに特殊例ともなっているのだが、初期に大きな影響を受けたとしている中野重治がその歩みに活きていないと思う。中野重治との邂逅のあと、たくさんの人間に会いすぎている。自分にすりよってくる相手を拒んでいない。人間論としては、そこに問題ありとしたいが、飯島耕一のような「ワンパク小僧」だった少年期をもたない人の悲しみも見える。

辻井喬は詩人である前に小説家だった。私はそう言ったことがある。しかし、結局、詩なのだ。詩がいちばんよかった。成り上がりの実業家の「妾腹の子」という生い立ちからはじまる劇的な自伝物語は、詩には出てこない。散文的ではあるが、「私」から出発してもつねに普遍性に向かう思考の詩を書き、事実と観念のどちらにも興味を広げていった。七十代、八十代になっても倦むことなく書きつづけた。同世代の詩人のだれよりも貪欲だったと思う。その底に悲しみとともにありつづけた渇望。これは価値をもつ。
最後の詩集『死について』(二〇一二)を読んだ。とくにハッとしたのは、「Ⅱ 病院にて」の次のような箇所である。

人がゆきから下の通りは
まだ暗くなにかが靄っているようだが
それでも今日という日は目覚めたのだ
「なじみの深い重荷を負って
上機嫌・恋・言葉・孤独
そして恐怖をとりとめもなく織りなし」
と　オーデンは『新年の手紙』に書いたが
世紀が変っても何かが変った気配はない

風呂本武敏訳のW・H・オーデンが使われている。私は、『鷲がいて』(二〇〇五)を評したときに「オーデン以後という段階に踏み込んでいない表現だと思える」と書いた。それを思い出したが、『死について』の思考には、そんなことどうだっていいと思わせるところがある。風呂本訳『新年の手紙』では、引用部の前に「重荷」がなんであるかを示す「冬・良心・国家といった」という一行がある。詩人はきっと自分で隠したこの一行を見つめていた。「人がゆきから下の通り」の暗さを意識しながら、「かつて憧れていた近代も自由も／うさん臭くなってきたのは擬(まが)いものだったから」だと彼は考える。

この喪失感も「下の通り」から浮いたところにある。しかし、あとがきに出てくる「美しく死ねないという枠」がそのプライドを破ろうとしている。「やはり僕には人生というものが分かっていない」とも言う。三島由紀夫も寺山修司も大島渚もそう思ったかもしれない。ヒーローたちに同情は湧かないが、辻井さんにヒーローのオーラはなかった。『鷲がいて』のときの評言を使わせてもらうと、「詩に歴史を存在させようとして」きた詩人に、まともさと皮肉さをかさねて訪れた最後の正解だろうか。

「遅れ」の正体　北川透

私の限られた文芸批評の読書体験から言うことだが、T・S・エリオットでも、モーリス・ブランショでも、吉本隆明でも、すぐれた批評家は対象の全体を換喩的にとらえるキーワードを発見するのが巧い。もつれた糸を一気にほぐすように、そのキーワードで対象を切る。その切れ味に、読んでいて圧倒されるが、マジックを見せられたような印象があとに残ることも多い。北川透もキーワードを使わないわけではないが、なにか、ちがう。まず軽く言ってしまうと、エリート的じゃないってことがある。そして、マジックという印象からも遠い。言ってしまえば、そんなに切れ味はするどくない。そのほうがパンチは重たくて、いつまでも効くし、長持ちもするのである。

二〇〇九年からの五年間、年一冊のペースで、北川透、藤井貞和、瀬尾育生と私の四人で「詩論へ」という雑誌を発行した。私は別として、渡辺玄英に時評で揶揄されたように、一時期の読売ジャイアンツ的に、この国の詩人批評家の四番バッターが揃ったのであるが、私はいわばコーディネーターになって、三者それぞれの仕事に接して得るものが多かった。

素朴な驚きから言うと、三人とも、とにかく書ける。日本の詩のここまでと今に対して、言いたいこと、やるべきこと、やりのこしたことが、生きる時間と競争するように、構想化されているのだ。「頭で考える」と「手を動かして書く」の連動のスムーズさ、それがどういう困難を乗りこえてそうなっているかに、それぞれの個性が見えた。

なかでも、北川透は、極端に言えば、困難さそのものを、書く契機を作るものとして迎え入れているくらいのところがある。批評として認められるものを書くよりも、表現を生みだすことを上におく。表現、それが生きるのは「他者」との関係においてであり、簡単に言うと「他者」にぶつかる必要がある。書くときに意識するその「他者」をできるだけ強力なものに設定する。その「他者」に抵抗されないと乗れない。抵抗があればあるほどいい。そうなのだが、彼の原稿は静かにやってくる。まるで自分を突き動かした抵抗への、その「乗り」の興奮を恥ずかしがるように。

北川透は、一定の質とはげしさをもつ左翼的なまじめさの硬直ぶりを批判してきた。そういう「強い人」でありながら、その一方で私の映画『岡山の娘』に出演してもらったときに語っているように、何にでも傷つくような「弱い心」に加担するのだ。

一九七九年の『詩的火線』『詩的弾道』のあたりから顕著になった、即興性をもった語り方が、私は好きだ。印象で言うと、「くずしてきた」という感じ。しばしば無防備そうな構えになる。しかし、その奥には、獲物のどんな小さな気配も見逃さない狩人の目が光っている。そして忘れてはいけないのは、即興性の一方で、書いたものに対する編集・構成のアイディアを、獲物を逃さない網のように張りめぐらせていることである。

二〇一四年の秋から刊行のはじまった全8巻の『現代詩論集成』。これほどの量が、彼の仕事の全体からすれば何分の一でしかない。ほんとうに、なぜこんなに書けるのだろう。第一に、その「出会う力」がすごいからだ。第1巻が出たときの「現代詩手帖」の特集で、私はそれを言った。その「出会う力」と、彼が世界でもほかに例のないような独自性をもつモティーフとしてきた「欠損」からの思考の回路は、どういう関係になっているのか。そこにもうひとつ、詰めよることができなかった。彼が自分を規定するように言う「貧しさ」が、実に手強いのである。

第3巻『六〇年代詩論――危機と転生』のゲラを三日ほどかけて読んだ。まさに「出会う力」全開の、詩人論。対象のほとんどが私もよく読んできた詩人たちであり、彼の詩論のなかでもとくに何度も読みかえしたものが入っている。端的に、胸がさわいだ。

「Ⅲ 六〇年代詩とその行方」で論じられる詩人たちについては、Ⅰの、「〈六〇年代詩〉経験の解体・私論」という副題の「詩的断層十二、プラス一」の再検討が先におかれている。これは、二〇一二年二月に出た「詩論へ」4号に発表された。その号の編集も瀬尾育生に頼りっきりだったが、前年の暮れに原稿の段階で読み、ついにこの主題で書いてもらったと編集者的によろこんだ記憶がある。今回、第3巻のほかの原稿とともに読みなおして、息苦しいほどに、いろんなことを思った。あまりいい読み方ではなかった。六〇年代詩のこと、北川透のこと、それ以外のこと、字面を追って読んでわかるのとは別のことで、なにか、自分が突きつめないままにしている問題に復讐されている気がした。

「詩的断層十二、プラス一」のキーワードは「遅れ」であり、北川透の感じてきたさまざまの「遅れ」がこれでもかというくらいに言われていくが、それを斟酌する前に言いたいことがある。私自身の、六〇年代詩の体験の、もしかしたら「遅れ」とは反対のことになるかもしれない事情についてだ。

一九四九年生まれの私は、大学入学が一九六七年で、一九七〇年には北川透主宰の「あんかるわ」に書きだすのだが、二十一、二十二歳くらいまでの短い時間にいろんなことを知った。いや、知った気になっていた。詩の関連だけで言っても、当時、私は大学の授業で出会ったエリオット、W・H・オーデン、ディラン・トマスなどの英詩に親しみながら、一九六八年から出た思潮社の「現代詩文庫」を片っぱしから読み、吉本隆明にも夢中になっていた。

六〇年代詩を体験したのもそこである。「凶区」の天沢退二郎、鈴木志郎康、渡辺武信、菅谷規矩雄、「ドラムカン」の吉増剛造、岡田隆彦といったスター的詩人を中心にした、いちばん狭く考えた場合の六〇年代詩であり、六〇年代詩に入るとは意識しなかった清水昶、支路遺耕治、そしてもう自分と同世代と言っていい佐々木幹郎と「騒騒」の詩人たちが、それにつづいていた。一九七〇年前後の数年、ほかの詩も読みながら、この六〇年代詩を読み、当然、北川透の批評にも助けられて、わかった気になった。そのあとの生きてきた時間を考えると、これは早すぎたと思う。

無理すれば不可避性と見ることもできようが、狭義の六〇年代詩について、その時期に速成的にできあがった感じ方による理解から自分が抜けだしていないことを、今回、自分が詩をめぐって培ってきたほかのあれこれと比較して、深刻にバランスを欠いた症候だと思わされたのである。

怠慢さゆえの、それこそ「解体」すべきなにかが、ここにあると言ってしまえばそれまでだが、たとえば天沢退二郎の詩集『夜中から朝まで』の、北川透も一九六八年の「ことばの自由の彼方へ」で引用した作品「ソドム」、煎じつめればその第一行「この街角の割れめのサックスはにせものだ」が自分に引きおこした興奮を、私はずっと宝物にしている。「この詩で自明なイメージはどこにもない。すべてが未知の世界だといえる」とくりだされる北川透の評言とともに。気恥ずかしい言い方をしてしまうが、まるで性の初体験の記憶のように、である。

そして、やはり北川透が引用しているのでここには引用しないが、天沢退二郎自身の、詩誌「暴走」の「休刊の辞」とエッセイ「シュルレアリスムの継承」での、詩と現実のあいだの距離を鮮やかすぎるほどに解消すると思える表明が、これに結びつく。さらに、天沢退二郎を語ろうとしたときの菅谷規矩雄の、「おそらくぼくらのアドレセンスのさなかに、ひとつの事件がおこるのである」という美しい言葉もかさなってくる。

私はここで何をしたかったろう。苦しまぎれに言わせてもらうと、若い私が六〇年代詩と共有しようとした早すぎる夢のはじまりを確かめたかった。しかし、話はそんなに単純じゃない。

北川透の言うように、あとで「凶区」を作ることになる「暴走」や「×（バッテン）」の詩人たちに「ある若さの中で訪れる、言語の官能性への感覚というようなもの」（『凶区』の印象私記」）があったとしよう。若い私はそれに誘惑された。しかし何年もしないうちに、そんなものを拠りどころとしているだけではどうにもならない苦境に立ったという自覚がある。北川透は、「暴走」や「×（バッテン）」の詩人たちの作品に接して、批評の仕事はやっていけても「彼らに伍して詩を書くことは絶望的に」思ったと書いている。しかし、彼は現実には、「凶区」のだれよりも旺盛に、そして官能性への感覚でも負けないように、詩を生みだす存在になっていくのだ。

北川透の考えている「遅れ」とは、どういうものか。

「わたし自身は六〇年詩人ではない」「わたしは〈六〇年代詩〉に遅れて来た」と彼は言う。彼の第一詩集『眼の韻律』の発行は一九六八年で、狭義の六〇年代詩との時間差がすでにあり、「言語の質がそこから外れている、ということでもある」。しかし、これは決定的なことだとは思えない。彼は有力とされる六〇年詩人たちの仕事を早くから理解し、批評も書くことができたのである。いまの目で見れば、『眼の韻律』は六〇年代詩の多くと課題や状況を共有している。

そういう次元のことではなく、もっと本質的な意味で「わたしは遅れる。しかし、遅れるわたしには、わたしを越えた理由がある」のだ。この「遅れ」の根拠は、彼がかつて風土と自分をつらぬく「欠損」あるいは「欠落」としてモティーフ化したものと同じだと思う。ちがうのは、この「遅れ」は、どこにでも、だれにでも存在する、としているところだ。言いつのるように、羅列と比喩を使った言い換えのなかに、主格たる「わたし」の輪郭を、いわば存在から表現へと移行させる。そこに、北川透ならではというべき周到さとラフさが同居していると思った。

どうなるのか。「しかし、とりあえず、ここではわたしの〈遅れ〉が、〈六〇年代詩〉に届かなかった、ということだが、たぶん、遅れたのはわたしだけではない。〈遅れ〉は〈六〇年代詩〉自体に潜んでいるかも知れない。もしかしたら、進んでいるものは遅れているかも知れず、遅れているものは進んでいるのかも知れない。時間差では測れない、詩人個々の環境や関係、資質等の差異が明らかにならなければ、〈六〇年代詩〉の断層も見えてこないだろう」と、まるで大駒を切りすてるように言ってしまうのだ。同時に、この走り方で、タイトルに使った「断層」に連絡をつけることを忘れていない。

彼は六〇年代の初めに「暴走」や「×（バッテン）」の詩に接して、詩を書くことをあきらめかけた。しかし、「何とか持ちこたえた」。そうだったからこそ四十年以上も詩を書きつづけ、「いまなお、詩から遅れ続けていることによって、詩を書いている、この奇怪さ」となるわけだが、持ちこたえた理由のひとつとしてあげられているのが「〈河〉のモティーフ」の発見である。それを全面的に対象化したのは、一九七四年の第三詩集『反河のはじまり』の作品群においてだった。そのなかの作品「河の遡行」こそは、「わたしの〈遅れ〉の正体を、〈河〉のイメージにおいて、見極めようとするものだった、とわたしは後から勝手に意味づけている」とされ、読んでいて、ここでそんなことやるのですか、と驚かされるが、その中心モティーフの批評的な「再編成」が試みられる。事実の再確認という側面をもつ「詩的断層十二、プラス一」全体の、内面的な追求のハイライトが、ここにあると見たい。

たとえば、こういう一節。

「流れに逆らって遡行しよう、とする時に現れる不吉な内景は、〈わたし〉の現在が、過去に遡って、未来に倒れ込む際の、ある形態を暗示していることになる。それは〈わたし〉が絶えず危機にさらされ、甘美な死に誘いこまれる、ということだ。なぜなら、河を遡行することは、さまざまな異質な流れとぶつかり合いながら、その浸透を受け、目覚め続けることだから。」

「河を遡行する」とは、そして「現在が、過去に遡って、未来に倒れ込む」とは、どういうことだろう。解釈よりも、必要なのは、自分の生にそれを見つけることができるかどうかだ。いささか怯む気持ちをおさえて言うのだが、そう受けとるべき表現である。

とにかく、これが「わたしは〈六〇年代詩〉に遅れたのではない。なにもかもに遅れた」という「遅れ」の正体なのである。ここにいる語り手は、何に対しても共感も反発もしていない。「強いられる」と「奪回する」が自然に折り合いをつけるのを拒むように、どこまでも「遡行する」のパラフレーズを少しずつずらしながら、「未知への不安」にむかって複数化する〈わたし〉を生みだしている。

この「遡行」に終わりがあるだろうか。空間も時間もどこまでもつづく。それが、究極のところで北川透が自分に課している「遅れ」の正体である。

だれの目にも明らかなように、変化する時代の局面への関心を失わずに仕事をしてきたことでも抜きんでている北川透の、その詩と詩論のどちらにとっても要となるものをあらたに見せられた気がする。

一般論で言うと、私たちが「既知」としているものは、当然ながら、「未知」に対して遅れている。六〇年代詩とそこからの半世紀への、自分の「遅れ」を考えるとしたら、そこにどういう「未知」が孕まれていたのかということになるだろう。

この第3巻に登場する詩人たちの現在までを、そういう観点から睨んでみた。これは評価ということではない。どうだろうか。私たちが、かれらの、だれの仕事の先を歩いているとも簡単には言えないが、この半世紀、何がどう裏切られてきたのかも見えてくる。踏み込むべき「未知」が封じられているということだ。そういうなかで、スリルをもって浮かびあがる問いのひとつは、二人の死者、菅谷規矩雄と松下昇が途中で終わらせているものに、私たちの現在がどう届いているかだ。とくに菅谷規矩雄の、北川透によってその生涯が表現されているとされた「わたしの言いたいことはただひとつ、詩に望みを託すということ」(「〈詩的メーロス〉の発見」)の簡潔さを、私はあらためて噛みしめた。私たちはいま、そんなふうに言えるだろうか。現実の場面で

「小説はだめ。詩のほうがずっといい」と菅谷規矩雄に言われたことも思い出した。ときには、生きてしまうことが遅れることになる。ここでそれに気づかされた。北川透は宿題を思い出させる。

文学への静かな誘惑

荒川洋治『文学の空気のあるところ』（中央公論新社刊）

詩人荒川洋治は、散文のエッセイでも着実に仕事をつみかさねている。大向こうをうならせる名言も数々あるけれど、多くの物書きたちとちがって、知識や情報で背伸びしようとしない。正しいか正しくないかという次元のひとつ上の、地に足のついた感想が、さりげなく深い含みを宿す。何度、私は「やられた」という思いをもったことか。同世代で、これほどファイトをかきたてられる書き手はほかにいない。

本書は、彼の初めての講演集。対象に向かう呼吸がエッセイよりもゆったりしている。用意してきた内容をわかりやすく語り、語りつくして、「時間がまいりました。みなさんお元気で」となる。ゆったりでも、けっしてよけいなことを言わないのである。その周到さと潔さの組み合わせのなかに、文学の大切さが浮かびあがる。それは、タイトルの「文学の空気のあるところ」に住む文学好きの人間にうれしいだけでない。この時代、この社会の大部分を占める、文学の空気の「うすいところ」の耳にも届きうる言葉でものを言っているという感触が、そこにはある。

従来からの彼の主張である「文学は実学である」が、念を押すように言われる。文学は「文章の才能をもつ人たちが、人間の現実を鋭い表現で開示してきた」のであり、「人間をつくるもの、人間にとってとても役に立つもの、実学なのだ」。それを軽んじてどうするのだと、問いかける。抽象的になることなく、荒川洋治流の「文学とぼく」の、いわば体を重ねあった恋から生まれた、それこそ「実」のある意見の立て方である。

高見順、山之口貘、結城信一、石上玄一郎といった文学者への、これだけを読んでもそれぞれの作品の姿がイメージとして立ってくるような紹介の見事さもさることながら、地図まで用意した多くの文学者たちのリストアップの工夫が楽しい。地味な場所に、いいものがある。それがよくわかる。

人は、文学にどう出会うのか。そのために自分をどう動かしたらいいのか。荒川洋治は鞄のなかに「七つ道具」を入れて歩く。深刻にならない告白のひとつひとつが、文学への静かな誘惑になっている。読者はここからさまざまな文学者に会いに行ける。

荒川洋治と社会

私は詩集『一時間の犬』（一九九一）のこんな一節が好きだ。

公園には冬の炎
みじかいスカートの娘たちが
パッとした足のなかに長い夢をいれたまま
朝の掃除をはじめている
みんなうすうす今日の
歴史を感じている
冬のそよ風を

（「冬のそよ風」）

どういいのか。まず、平板さを免れている表現の安定感に心地よさがある。その上で、「娘たち」を主格において、決め手は「パッとした」と「歴史」。

「パッとした」には、こういう使い方があるのかなと思わされる。足と夢の「いれる」関係も奇妙だが、「みじかいスカート」と「パッとした足」が先に出て、そのふしぎなエロティック効果でそれをありにしている。

「歴史」は、よく言われるような「歴史を感じる」の歴史とはちがう「今日の／歴史」であり、「冬のそよ風」と同格となる。春のそよ風ではなく、「冬のそよ風」。とにかく「歴史」と並ぶのだから、当たりさわりのない吹き方をするものではない。作品の冒頭にあるように条件はつくとしても、「こころの問題」を歌わせる風なのだ。雰囲気だけのために多くの詩作品が吹かせてきた風のようには、人を戯れさせない。

最初に読んだときはほとんど唖然としたが、この風はこのあとに、安定感をひとつ崩して、「彼らのすべてが／彼らの父であることがわかる」からの節、さらに「生活はにどとめぐってこない」からの節を呼び込む力をもつ。すじみちをわからせない飛躍はある。だが、作者、読者、登場人物、だれをもそんなに遊ばせない飛躍だ。

もうひとつ、『一時間の犬』から。

五つの　ひとつひとつの道には

遠くから水色の灯りがつき
遅れた一本の道も
あたりの闇をはらいはじめた
これで京都になった

（「京都」）

これも、まず、「灯りがつき」と「闇をはらいはじめた」の同義反復的言い方を軸にした安定感がいい。用済みになったマルクスの像をこの前の節で出している。ウズベキスタンの首都タシュケントが舞台である。そこに「これで京都になった」と、一気に勝負に持ち込むような技を決める。

このあと、「理由はわからないが／この都市は生きているが／それよりも　生きてきた」と語り手は自分の疲労（眠気）と向かいあう。さらに大阪も出てくる。外国の土地が知っている土地になる。自分の「生きてきた」ことに気づく。遊んではいられなくなるのだ。

以前に書いたことであるが、『一時間の犬』の旅は荒川洋治にとって、初期の作品の舞台へ初期の作品を棄てに行っている旅だったかもしれない。かわりに現実の音を拾ってきた。思い切りのよさと旅の時間の眠たさがそれをふしぎな音楽にしている。

音楽、とわざわざ言うのは、ほとんど無意識のうちにつかんだ言葉に対して無理に意味のつじつま合わせをしていないと感じられるからだ。そのなかでの「私は生きている／同情と共感でおどろき嘆きかなしむが／私は二度と生きたりはしない」(「ベストワン」)や、「もう／これ以上／人間としてすること／課題を見いだすことはできない／と　人は目の裏で見ている」(「資質をあらわに」)といった表現の、なにかわけのわからない宣言のようなつよさ。いわばコンテクストの外で、直接的に私たちに問いかけているものがある。

一九九一年は、湾岸戦争の年。

日本の詩人たちにとっては「湾岸戦争詩」とそれをめぐる論争の年だった。私は、自分も発端のひとつである雑誌「鳩よ！」の特集に参加しながら議論からは逃げを打ったことになりそうだが、「幼稚さと高度さが瞬時に入れかわってしまうような局面のふしぎさを意識させられた」と当時、書いた。

その年、荒川洋治は、三月に文芸誌「海燕」連載の文芸時評をまとめた『読んだような気持ち』、六月に選詩集『笑うクンプルング』、七月に紀行エッセイの本『ブルガリアにキスはあるか』、そして十一月に『一時間の犬』を出す。散文の二冊は、文句なしにユニークでおもしろいが、小説を読んで「読んだような気持ち」になるというのも、旅先で向きあうのはいつも自分の性格だというのも、方法として、状況の求める積極性を逆手にとるものだった。状況に対して私の感じていたことに絡ませて言うと、片方だけでは勝負にならない幼稚さと高度さの両方を入りくませるところが『一時間の犬』につながる。

散文でも、詩でも、素手と技、どちらの神話からも抜けだす。その自在さが、たとえば論争する藤井貞和や瀬尾育生の視野とは別なところに「現実」を生みだす。借りものじゃない自分の目で見る、自分だけのことには終わらない「現実」である。一九九一年の荒川洋治は、そういう夢だった。

そこからの、三十年近い時間。荒川洋治の仕事は、停滞していない。詩というジャンルにかぎってのことでなく、日本語で発表される表現のなかで、それはきわだっている。こんな書き手はほかにいない。

印象批評を許してもらえば、彼のページをあけるとパッと明るい光がある。一般に、文章については平明という言い方があるけれど、平明さプラスアルファーの明るさだ。読者を気やすく招いている。それだけではない。何を書くか、どう書くかに潔い覚悟をもった明るさだとしたい。

あるときから(『日本大百科全書』の田野倉康一の記述によれば、一九九六年から)彼は肩書を「現代詩作家」としてきた。なぜそうする必要があったのか。いまでは「詩ではなく、詩の形で文学作品をつくりたい」(「鮎川信夫賞受賞の言葉」二〇一七年)からだったことになる。実は、これも、「読んだような気持ち」と同じくらいに「理論上はおかしいが実際上はさほど不思議ではない」(『読んだような気持ち』あとがき)というものだが、この場合の「文学作品」とは、詩のジャンルに収まらない作品、もっと端的には小説やエッセイに質的に近い作品で「詩の形」をもつもの、という以上ではないだろう。

詩による小説をめざす。とくに詩集『針原』(一九八二)以来、荒川洋治の作品史にはその流れがある。また、詩と散文の境界を揺さぶることや、詩になっていない(と意識するのは自他のいずれでもありうる)部分を作品に入れる自由を確保することは、彼の専売特許というわけではないとしても、『坑夫トッチルは電気をつけた』(一九九四)以後、それがこの社会のなにかに抗議するような独特の攻め方として見えてくる。

文学だけでなく芸術一般において「社会性」とされてきたものは、もう何番煎じかわからない。それをなぞらずに、社会とのつながりをもつ。それを詩に要求する。その要求のしかたには、彼の発明としか言えない独特のところと、詩も文学も本来そういうものだったというところが、混在している。

ぼくはこの日も六月の社会から
電灯のつく前に
顔を伏せて帰宅している
「人間の気持ちをこれだけのものにはしたくない」
彼女は通学路の画面をひろげて
そんな歌などをうたって
帰っている

誰もが生きているというわけだ
（「かわら」）

あまり説明したくないというか、正直なところ、説明できないのだが、この前の節の内容から、この「ぼく」は醜怪な顔をもち、学校や会社のある「社会」に長くいたくない、そして「彼女」はその妹だ、とわかる。タイトルの「かわら」は屋根がわら。「ぼく」はその下に隠れたいが、「かわら」は隠す役割を十分に果たさない。引用部、言葉はのびやかにくりだされて「誰もが生きているというわけだ」にたどりつく。これは、次の結びの節では「誰もが生まれ／もう風のようには生まれることをやめた」と展開される。

社会があり、人のすること、人の思うことがある。それが確かめられ、社会と人のつながりの微妙さを託された「かわら」が「美しいことがら」でかつ「だいじなかたまり」とされるまでの作品。これが荒川洋治だと言いたくなる。このつかみ方と伸び、新しいし、安定感もあるし、同時にこういう抜け方をしている古典的な「文学作品」がありそうな気もしてくる。

エッセイ「散文」で言われているように、詩は「個人が感じたことをそのまま表わす」。そういう詩を棄てない。ほんとうに感じていることを書く。使いふるされてきた正義や善意を振りかざす台に乗ったり、それらに守られる箱に入ったりせずに、自分の目で見て書く。そうしながら、どう社会とつながるか。

超がつくくらいに単純でまともなこのモティーフが、『坑夫トッチルは電気をつけた』に収められた「美代子、石を投げなさい」や「赤い紙」で火蓋を切った、一連の大胆な「詩の形をした文学作品」の試みへと彼を押し出したものだ。

試み、と簡単に言ってしまったが、この三十年、こんなに試みをやった詩人はほかにいない。『実視連星』（二〇〇九）までの、実験性の高い作品群。その寿命は危ういのかもしれない。しかし、それでいいのだと思う。そこでの、彼が自分の体験のなかで出会った「歴史」の顔の出し方。こんなことがあった。人はこんなことをした。その意外性、あるいはそれを持ち出すことの意外性は、まず「情報社会」で形成されるような一般性の盲点を突いて意外なのであるが、それだけではない。個別性をもった人が生きる「普通さ」の侵入でもあり、始末していいものは始末した上での、これまでの詩がやってきたこととやっていないことを接続させる表現への突破口になろうとしている。なっている。

「もう手はない」の先へ。使えるものを使う。言えることを言う。それを見つける場所としての社会を、この詩人は「情報社会」のずっと前からの足どりで歩いている。

その実験には、いわば無責任さとまともさの同居するような挑発的姿勢がともなうこともあった。『北山十八間戸』(二〇一七)は、そういうものが控えめになり、全体の雰囲気はあっさりしている。表題作や「外地」は別として、基本的に、歩きだしたところから何呼吸かで立ちどまるような小さな詩をつなぐ。でも、遠くまで見ている。意見を言う勝負もしている。「歴史」と

「地理」は、いままで以上の緊張感をもって呼びだされている。

なんでもいい、
少しだけ無理をする人になりたいね
ほら、このように少しだけ先へ
無理をする人　そういう人がいまは
いなくなったといい
寺社の月夜の（無理をする四国西之村謄写堂）
空気のうすい平野の物象に

（「友垣」）

前半に「ことばも詩も被災したのだ」と二〇一一年からの持論を入れている作品だが、ここで三度も出てくる「無理をする」につよく感じさせるものがある。「少しだけ無理をする人になりたいね」には、シチュエーションをこえた本音のひびきが聞こえる。持論の部分もふくめて、荒川洋治自身が出演している作品だと言ってみたい。

個人的には、『北山十八間戸』は、『一時間の犬』以来の、何度も読みかえす詩集となった。「未刊詩篇〈炭素〉」の七篇も、ため息が出るほどのものだ。未知への甘えがない。酔わない詩人。いよいよそうなのだ。驚くほどわずかに引っかかるだけで進むところなどに、社会の方向からのものと文学の方向からのものが自由に役割を交換するような味わいがある。

私はまだ、ちょっと緊張している。

荒川洋治。一九七〇年代の彼がいて、八〇年代の彼がいて、そして九〇年代からここまでの(平成の、と言ってもいいだろう)彼がいる。見事に、社会とともに動いていると私は思う。自分にしかできないことで、かつ自分のためだけにするのではないと直感できることを見つけて、実行し、他者からの評価も得る成果をつみかさねている。同時代、しかも同世代に、この人がいる。大きい。

ライヴァル　三角みづ紀

書きだすのに時間がかかってしまった。あちこち動いていたせいでもあるが、三角みづ紀のことを書くのは大きな楽しみだからである。時間をかけて楽しみたい原稿はもうひとつあって、一九七〇年代初めに熱中したミュージシャンのひとり、ルー・リードについて書くというものだ。きのうも、懐かしい彼のロックンロールをかけながら、机の上においた三角みづ紀の詩集を眺めていた。

私は『オウバアキル』の栞に「魅惑にみちた苛酷な世界」と書いた。ブルースもロックンロールも、最近のヒップホップも「いま」をそういうものとして感じさせる。観察や批評の前にそれがあって、感覚に訴えてくる。三角みづ紀は、その朗読が自然にメロディーとリズムをもつ歌になり、バンドでやる音楽活動もはじめた。彼女の詩も、そこにやどる音楽が大切なのだ。そう思って、ライヴのステージの彼女を頭に浮かべながら、作品をいくつか読んだ。音楽性。それは解釈という次元ではどうとでも言えるところがあるが、私がきのう三角みづ紀の表現に感じたことを思いっきり感覚的に言ってしまえば、祈りがロックンロールしている、だ。

最初に読んだ三角みづ紀の作品は、「優しい神様が絶望を予告なさる／一瞬にして能面は笑顔に変わる」とはじまる「雷鳴」である。二〇〇二年、池井昌樹とともに「現代詩手帖」で新人作品の選者をしたときに送られてきた、彼女の最初の作品だ。池井さんはこれを入選にして「この感性は極めてユニーク」と評価したのに、私はなんと佳作にも入れなかった。ただ、「神様」や「能面」以上に「予告なさる」の「なさる」が、特徴ある手書き文字とともに印象深く残った。私の好みからは遠いはずなのに、である。

「雷鳴」のあとも、私は三角作品にかなりきびしかった。入選にした作品にも注文をつけた。「彼女が詩を呪文のようにかかえこんで外に解き放っていないと感じたからだ」と『オウバアキル』の栞には書いた。しつこいくらいに「表現には構成と展開がいるのだ。それが足りない」とくりかえしたのもおぼえている。彼女は私の批評を受けとめ、書き方を変化させながら成長してくれた。だから後悔はないが、いまから思えば、第一に私は彼女の言葉づかいのまさに「ユニークな」奇妙な癖にとまどっていた。その音楽をよく聴きとれていなかったのである。

二〇〇三年、三角みづ紀は、私が国立市でやっている詩のワークショップに受講者としてあらわれた。窓の外を見ている後ろ姿を見ただけで、彼女だとわかった。そこから、彼女の詩の草稿をたくさん読むことになった。横着して『オウバアキル』の栞の拙文から引かせてもらうと、「彼女はどんどん書いて、しっかりと動いていた。文字が印象的な手書き文字からワープロに変わり、作品のなかに彼女の現実が見えるようになってきた。彼女が詩を書くことで生き抜いている、魅惑にみちた苛酷な世界だ」。

『オウバアキル』の刊行は二〇〇四年。その年もいろんなことが起こっていた。詩では、飯島耕一の詩集『アメリカ』が目覚ましい成果だった。彼なりの迷路をくぐりぬけた末の、地声をひびかせる素朴な書き方が功を奏していた。作品のひとつに付されたノートに「幼稚と言えば幼稚な詩的発語だが、猛暑の日の夕方にでも読んでもらえたら幸いである」とあった。そういう発語で、第一線に立って勝負できる。その詩作の底にあるものを飯島耕一は「肉的欲望」と呼んだ。つよいなあと思ったし、そのつよさがわかるところまで自分がようやく届いたという感慨も湧いた。

もったいぶった理屈をこねまわすことよりも、大事なことがある。そんなことはだれだってわかっている。必要なのは、実践だ。二十一世紀に入ってからの、この国の多くの詩人たちの仕事を色褪せさせるものが、『アメリカ』の八方破れ的な作品群にはある。つよさだと言った。それは自由さでもある。

ここからはちょっと後知恵であるが、この飯島さんのライヴァルは三角みづ紀だったのではないか。『オウバアキル』のあとがきの、「日本語はとても自由なものだと思います。」というさりげない言い方には挑戦がある。さらに「私にとって、詩は書いた（或は詩に書かされた）時点で全てノンフィクションになります。痛くて泣いて仕舞う時もあります。それでも私は書き続けなくてはなりません。酸素を吸ったら二酸化炭素を吐き出す様に」とも言う。詩は、どう書いてもいい。しかし、書いたことはすべて本当のこととして引き受ける。書くことは生の条件そのものなのだ。そう覚悟を決めている。人生の終盤に視野を絞り込むようにして『アメリカ』へと到達した飯島耕一に負けないもの、あるいは通じあうものが、『オウバアキル』の三角みづ紀にはある。両者とも「幼稚と言えば幼稚な詩的発語」で、読む者をノックアウトする。

私を底辺として。
幾人ものおんなが通過していく
たまに立ち止まることもある
輪郭が歪んでいく、
私は腐敗していく。
きれいな空だ
見たこともない青空だ

（「私を底辺として。」）

この「腐敗していく」と「青空」の、ある意味で強引な接続こそ、端的に三角みづ紀の書き方の自由さを示している。まさに祈りがロックンロールしているというものであり、『オウバアキル』の全幅をここに圧縮しているようにも感じられる。もちろん、その前に書きだしの「底辺」と「幾人ものおんな」に驚かなくてはならない。次の詩集『カナシヤル』以降の、自分のことを書きながら巫女的にだれにでもなりうるという「女性」の抱えこみ方が、すでに予告されている。

書かずにいられないので書くが、最初に読んだときも、いまも、「私は／にんげんがすきなのだよ／お前のみえないところから／血を流しているのだよ」(「ソナタ」)や、「どこまでも卑屈だ／どこまでも窮屈だ」(「パレードのあと」)、あるいは「確かに私は生きていた／生きているんだ」(「帆をはって」)といった決め台詞が、私は大好きである。

そして、こんど読み返して、もっとも心を打つ作品はやはり最後の「私達はきっと幸福なのだろう」だと思った。たとえば「それでも彼等にカッターを向け／(シネ)／と云った時／の快感」というような表現は、個人的な体験に基づくものだろうが、この時点で私たちの社会に対してだれかが書いておかなくてはならないものだったと断言したい。

何度か変奏され、「血が必要だ」からラストの「幸福なのだろう」までのカットバックでダメ押しされる主題は、明確である。不安を始末できないからこその「幸福なのだろう」なのだ。「腐敗していく」と「青空」の衝突に、構成と展開をあたえたものだとも言える。この語り手のライヴァルを小説に求めるとしたら、ほぼ同時期に登場した中村文則の『土の中の子供』などの一連の作品の孤児たちだろう。この世界はときに、善意こそがいちばん恐ろしい。そこで付けられた「悪臭」を隠せないことへの絶望から踏みだそうとする態度が、三角作品と共通している。『カナシヤル』は何十回も読んだ。そうする必要があったのだ。歴程新鋭賞があたえられたときの歴程祭で、私は話をした。大筋としては、『オウバアキル』の宿命的な「私の物語」がここで「君にむかう物語」になろうとしていると祝福した。カナシヤル。いとおしい。人を恋し、自分と人が生きる世界を求めているのである。

「ひかりの先」も「あまのがわ」も「Dという前提」も「プレゼント」も「しゃくやくの花」も、どれも怖いといえば怖い。でも、文字通り闇を突き抜けて光のなかに出たという感触があった。新藤凉子の『薔薇色のカモメ』が同時期に出た。その「死ぬ練習をしている」という境地に近いものがある。

年齢と経験の差を考えれば、ふしぎかもしれない。しかし根源的な意味で、詩の課題のひとつは死をどうするかである。私は、三角みづ紀をふくむ若い詩人の何人かが死を見つめて書いていることに挑戦を感じるとともに、詩がむしろ一時期の迷妄を抜けてそういうふうに健康になったと考えた。

「えっ?」と思う人もいるだろうが、この健康さへの注釈は略させてもらう。「しゃくやくの花」のリフレイン「とても死ぬ　きれいね」は、三角みづ紀の初期からの奇妙な癖をもつ日本語だが、言ってみればエミリー・ディキンソンの英語のように健康である。新藤凉子もディキンソンもライヴァルとするような書き方。そこまで言うかと呆れられるかもしれない。でもだれかにそんなことができるとしたら、三角みづ紀しか思いあたらない。

私はちょうど、久しぶりに映画を監督できそうだというときだった。『カナシヤル』の詩を使い、「みづき」という名前のヒロインを出す映画の構想が一晩で湧いた。そこから予想もしなかった紆余曲折を経て出来上がったのが『岡山の娘』である。

三角作品をどう使ったかは映画を見てもらうしかない。なかにヒロインを演じた西脇裕美が北川透にインタビューする場面を入れている。「文学をやる上で一番大切なことは?」と問われ、北川さんはこんなふうに答える。「文学を読んだり、あるいは詩や小説を書いたりするその心が、弱い心でないと、文学はできないんじゃないか。若い作家たち、若い詩人たちからいちばん学ぶところは、弱い心、なんにでも傷つきやすい心、これがぼくに回復するっていうか、維持できれば……」。

勝手にしゃべってもらったのだが、この「弱い心、なんにでも傷つきやすい心」は私の映画のアピールの核心となったと思う。三角みづ紀にはたっぷりとそれがある。近年、北川さんが書けて書けてしかたないくらいに詩を書きつづけているのも、それがあるからなのだ。『岡山の娘』は、この心をめぐって意外なライヴァルとなりそうな二人のあいだに立って、私自身の「弱い心」に展開と構成を企んだものである。

二〇〇八年に出た『錯覚しなければ』は、どういう詩集だったのだろう。北川透は「現代詩手帖」の年末の鼎談で、この詩集で一番いいなと思ったのは「わたしのつまさきと満開の悲しみ」

だと言い、この「つまさき」は抽象的だとする。私はこういう詩がわからない。北川さんの説明もあまりよくわからなかった。他の論者たちの、これまでの「三角みづ紀」からの脱皮を望む言い方も納得しがたかった。一方、私がその才能を信じたい若い望月遊馬が書評を書いて、「過去を過去と自認する落ち着きや、間合い」と「外部へと向けられる視線のひろがり」を認めている。これは親切な読み方になりすぎている気がする。なかなかそんなふうにちゃんとしてくれないのが、三角みづ紀ではないか。

評価は別として、私につよく残ったのは「満開の母」である。先にあげた作品で「おそらには悲しみが満開だ」というふうに使った「満開」をかぶせて、母というものの遍在性とつよさを示した。それはいいのだが、母親とは「なんと異質なものであるか」「なんと残酷なものであるか」と言うところが弱いと思う。「異質」と「残酷」も、そしてラストの「わたくしはいつか／母になる」も、観念がどうしたという話ではなく、そう出すのが当たり前すぎるのだ。

しかし、ここまで考えてきたのとはちがう次元のことになるが、母がライヴァルなのである。「女性」のだれもが通過する、その劇を事大化している。そのために通俗的になった。

執着していたにちがいない、「世界が終わる時、はじめて夜は明ける」というモティーフ。これをついに、彼女の「女性」の内側に重ねられなかったのではないか。

二〇一〇年の『はこいり』は好きな詩集である。実際の人生では大変なところをくぐった時期。しかし、くぐりぬけたのである。「フレットレス」、イライラしていない。心配しないことに決めた。もう立派そうなことを言う必要がない。そこに「弱い心」の断固とした決意を感じさせる。

　逆さまに産まれたわたしたちは
　倫理にかなわないことをなさっている

（「逆子」）

　初期の「絶望を予告なさる」神様を思い出させるが、反対のことをやっている。こじつけめくが、『はこいり』の作品群は初期の自分をライヴァルとして書いたという印象だ。
「終焉」の連作のいくつかには、ほんとうに巧いなあと感心する。ある意味で、切り札となる答えを握って書いている。高橋新吉が好きだということであるが、むしろ中原中也のように何を書いてもちゃんと「汚れつちまつた悲しみ」に出る。そういう独自性をもった感情の舞台に立つことができる感じがする。彼女のなかには現代人ばなれした罪の意識が独特にあり、「なにもかもがこわい」のであるが、一方で彼女がいつも言うように「ふしぎに自分に自信がある」。死ぬ。とても死ぬ。生の場面にその感触を埋め込んでいる。言葉は整理されてきたが、希望的観測としては、ロックンロールする祈りは健在である。
　これを書いているのは二〇一三年の十二月である。この年、三角みづ紀はヨーロッパに二回行った。遅咲き的に外国がおもしろくなったようだ。そして体調を何度か崩しながらも、ライヴ・パフォーマンスを含む旺盛な活動をつづけている。新藤涼子・河津聖恵との連詩集『悪母島の魔術師』で歴程賞を受け、自分で撮った写真を入れた旅の詩集『隣人のいない部屋』を出した。電子書籍kindleで、詩集『夜の分布図』と須藤洋平との往復書簡『世界に投函する』も出した。

人と出会い、人を思いながら、人とつながることを急がない。でも、ここで確かに広い世界が視野に入ってきた。

『隣人のいない部屋』も『夜の分布図』も連作としてのコンセプトをはっきりともつ。そこには「終焉」の連作とはちがう計算がはたらいている。いい意味での、仕事になっている。仕事。人にあたえるものを作ることで自分を支えていると思う。

この秋は、三角みづ紀とよく顔を合わせた。二人だけで煙草を吸いながら話す場面が何度もあった。どちらがどう追いついたのか。私の歳は彼女のちょうど倍になった。倍の時間を生きても、まだ彼女のようには仕事していない自分を意識することがある。その一方で、当然のことだろうが、四十年以上詩を書いてきた私の抽き出しからはもう無防備ゆえにつよいアマチュアは出てこない。

つい最近、彼女が「詩が好きで好きでたまらなくて怖くなるほどです」と言うのを聞いて、これだ、これがなくてはいけないのだと思った。私は、若いときにほかでもない吉本隆明の影響で、詩を憎みながら詩を書くのがいいのだと思い込んでいたひとりである。あまりいいことなかったな、というのが正直な感想だ。どうするか。これからは三角みづ紀を最大のライヴァルだと思って書いていけばいい。そういう抗いがたい示唆が、「見たこともない青空」からひびいている。

せかいの深呼吸

岡本啓

二〇一三年から一四年にかけて、私は「現代詩手帖」新人作品欄の選者として、あとで詩集『グラフィティ』に収められる岡本啓の一連の作品に出会い、引きつけられた。その評を書くことで、自分の「詩論」を更新できたとさえ思っている。

私がいま新しい詩や新しい芸術の条件だと思うのは、芸術性や前衛性による驕りのないこと。それでいて、その裏返しの通俗性に陥らないことだ。岡本啓の詩はまさしくその条件にかなっている。彼の作品もけっしてわかりやすいとは言えないし、長さと迂回する進行で読者を惑乱させる。一方で、かなり素朴に、人が普通に生きている現実の空気を呼び込むところがある。その両面があることに、まず共感を抱く。

『グラフィティ』のあと、岡本啓はどう進むのか。私はちょっとハラハラしながら、雑誌に発表される作品を追っていた。方法を探っている。それだけで終わると見える場合もあったが、とにかく言葉と体で時空の広がりを求めて動いていると思った。もともと外国を舞台にして書き、人類発生以前までさかのぼる自然史的時間を現在へと引きよせてみせる作品もあった。その時空にもっと起伏的変化がおこるところへ出たと言うべきだろう。

旅の詩集となった『絶景ノート』は、鮮度にみちた細部をもつとともに、ひとつの太い線で貫かれている。あとがきにあたる「絶景ノ音」の、「気がついたとき、人生と同じように、どこへ向かうとも知れない長い一篇の詩をわたしは書き出していた」という箇所が、その線を考えるヒントになる。「人生と同じように」。しかし、そこに引かれる線は書き手の生きる時間に沿うだけの線ではない。そのあと、すぐに節を転じて「はじまりと終わりの狭間で生きて、わたしたちは圧倒的だ」とある。「わたしたち」と「圧倒的だ」で二重に個人的なものを超えようとするフレーズだ。

せかいの深呼吸が
にじんだこの輪郭からあふれていく予感で
いっぱいなのは
切り倒された感情の大木から
荒削りの　名付けようのない舟が
丸ごと
あらわれてきたから

瞬きのたびの緑の痛みを
もう誰にもゆずりたくないのは　わたしは二度と
生まれてはこないと確信したから

（「海上警報より」）

「せかいの深呼吸」があふれていく予感。あっさりした書き方のなかに、濃度でも密度でもないものがたちこめる。この箇所だけについてではないことだが、この呼吸する「せかい」には、はじまりも終わりもない。過去、現在、未来を入りくませる大きな機械が動いている。岡本啓の「わたし」は、自分もその機械を動かす多くのもののひとつであることを忘れない。「ゆずりたくない」「確信した」は、個人的でありながら、人間という枠とは別な「内部」を相手にしていると思う。『絶景ノート』については、吉増剛造の「影響」が指摘されているが、一九六〇年代の吉増剛造以来と言いたくなる「自由」が息づいているのは確かだ。

最近、『絶景ノート』の好きな箇所を書き写したノートをもって外国を旅した。旅というものは、一面では小さな失敗の連続のようになる。岡本啓の詩に触れていると、そういう失敗が気にならなくなる。というよりも、失敗のひとつひとつが別の表情をもった体験になってくる。そのノートに書き加えることのできた私自身の言葉はわずかだった。

その旅より少し前に、私はたまたま岡本啓と韓国のソウルで一夜を過ごした。私たちの姿は見事に東南アジアのどこにでもいるような、おっさんとあんちゃんの二人組みだった。しかし、二人とも、日本人向けの店の多い繁華街ミョンドンの雰囲気にはなじめず、早々と戻ったホテルの部屋で遅くまで話し込んだ。私は安いソジュを飲み、飲めない彼はソジュより高かったかもしれない缶コーヒー。彼は日本の詩人の何人かについて、とても鋭いことを言った。そして、いまの彼の生活は生まれたばかりの子の育児が中心になっているとも語った。

岡本啓がいる。岡本啓が詩を書いている。「せかいの深呼吸」を感じとっている。ソウルの夜景を眺めながら、私はとくに何がということではなく、「大丈夫だな」と思った。

迷路と青空　ソウルで話したこと

私は、詩を書き、映画を作っている。どちらも、弱気になって、もうやめてもいいかなと思うことがある。それでも、なんとかつづけている。とくに詩は、もう五十年くらい、ずっと書きつづけている。そうなっているためには何が大事かと言うと、最近は、他人の作品で好きな詩がどれだけあるかだと思うようになった。自分の才能や力量がどうだというようなことよりも、これが先にくるのだとしたい。自分が空気を吸っているこの時代に、いいなと思う詩を書いている人がいる。いいなと思う詩には、自分も書きたいと思わせるものがある。ジャンルとしての詩に未来があるかどうかというような議論は、そういう詩に出会っていれば意味がなくなる。いい詩、自分を刺激する詩が、こんなに書かれている。詩は大丈夫だ。いつもそう言っていたい。

岡本啓もそのひとりだが、好きな詩人、好きな詩を、私はいつも思っている。必要なのは、自分を動かしていく「出会い」なのだ。フランスの哲学者ジル・ドゥルーズは「出会いとは、見出すこと、捕えること、盗むことだ」と言った。そういう出会いだ。

そして詩を書くという孤独な作業のなかで、私はいろんなふうに、ひとりで書いているわけじゃないと考える。自分の内側にすごいものがあって、それが出てきて詩になる、というふうには考えない。そうじゃなくて、人とともに書いている。極端に言うと、他人の言葉を拾って書いている。そのくらいに思っている。人の言葉、この場合は詩人たちの言葉ということではない。それをどう組み合わせるか。そこにオリジナリティーが生まれるということで十分だと思う。

とくに日本では、詩に対して、絶望的なことを言う人が多い。詩は、役に立たないものの代表のように言われることがある。しかし、詩は役に立つ、と私は言いたい。詩が役に立つ場面がこの世界にはある、と言ってもいい。たとえば、理屈ではどうにも未来に希望が持てないようなところに追い込まれた人に、単なる慰めや励ましを超えた、生きる力を生みだすものとして、詩を考える。論理では封じられる壁を突破するのが、詩である。文学一般がそうなのではなく、文学のなかの、そういうふうに作用するものを詩と呼ぶのだ。私が若いときから読んできたディラン・トマスは、彼にしては意外なほどのまともさで「いい詩が加わった世界はこれまでと同じではない」と言った。これも好きな考え方だ。

私が最初に詩を発表したのは、一九六八年か六九年。まだ二十歳になるかどうかという若さだったが、それまでにもう映画も作っていたし、小説も書いていた。映画、小説、詩という順番でやりだしたのだ。映画と小説のことを語りだすときりがないので、ここでは控えたいけど、私は一九六〇年代の後半に青春を迎えた「団塊の世代」に属していて、サブカルチャーというものが前面に出てきた当時の文化の動きから大きな影響を受けた。

「団塊の世代」は、反体制の政治運動もやった。私はそれにはあまり乗れなかった。そうだったけれど、本当のニューレフト（新左翼）はこっちだという気持ちがあった。当時、社会のさまざまな古い要素に反抗したい若者たちのあいだでは吉本隆明という詩人思想家の存在が大きかった。彼は反権力、反権威、反体制である一方で、いま存在している左翼はダメだと言っていた。私も吉本隆明にかぶれていくようになるが、それ以前に、映画のジャン＝リュック・ゴダールや大島渚から受けとっていたものがあった。もうひとつ言えば、映画の前に音楽があった。音楽の話もきりがないので控えるが、私に音楽の才能があればロックをやりたかったくらいだ。そして、漢字で書く「新左翼」よりもカタカナで書く英語の「ニューレフト」のほうがよかった。そういう美意識がはたらいていた。

なにかを表現したいということが、社会の古い部分に反抗したいという気持ちと結びついていた。ロック、映画、小説、詩という順番で目覚めたそれらの欲求が、今日までずっとつづいている。そうではあるが、ここまで順調にやってきたわけではない。

政治的な状況で考えれば、日本の一九六〇年代は二つの安保闘争、「六〇年安保」と「七〇年安保」のあいだの時期である。「安保」とは、日本とアメリカの軍事的協力関係を持続するための日米安全保障条約であり、一九六〇年に改定され、一九七〇年に自動延長された。安保闘争はそれに反対するための反政府・反米の闘争であるが、私たちの「反米」がアメリカ文化にあこがれながらの、二律背反的なものだったことは、言うまでもない。また、二つの「安保」の中間の一九六五年、日本と韓国の「国交正常化」がなされ、それへの反対運動もあった。

一九七〇年前後、私は政治的な運動からは距離をおいていたが、「革命」の夢は抱いていた。「革命」といっても、政治的な制度上のことだけじゃなくて、生きること全体に関わるものだ。世の中の、偉そうに存在しているものは全部インチキだと言いたかった。その意味でも、運動の側にある「まじめさ」とはすれちがっていた。実際にできたかどうかは別として、「革命の詩」であると同時に「詩の革命」であるような作品、反抗性と実験性を合わせもつような作品を書きたいと思っていた。

たとえば、一九七二年にはこんな詩を書いていた。

おお水が狂う！
もうおれの回心でぬるい縄を編もうとしてもむだだ
もしおれが黒い舌をもつ便器につまずいたとしても
透きとおるおれの肩に生えた権力は

恋人よおまえのその錆びた血でかならず制裁する
みだらな靴　森に逃げこんで笑いころげるものたちを　そして
鉄条網のむこうにも耐える盲目の蛇とおまえがいて
墓場からころがってくる太陽の非難をあびながら
無数のおれが鎌を握る　この熱い目ざめの
裂けた尖端はだれにもさわらせない！

四十行ほどの作品「拒否」の終結部である。タイトルも、内容も、書き方も、「革命」の夢を追っているというよりも、社会への、自閉的な敵意にみちていると、いまの目からは見える。ディラン・トマスや、さらにさかのぼってアルチュール・ランボーから受けとったものを「現代化」しようとしながら、そうなっていないとも思う。このころの私の詩が、そのあとのものよりもいいという人もいるけど、どうだろうか。ひとくちで言えば、カッコいい「死」を夢見ている。そういう危険さを冒険的だと思っている。自分というものを突き抜けて、人々が普通に生きている地平におりていくというようなことが、まったくできていない。それが大きな弱点だ。

すでに少し触れたように、一九六七年以後、「団塊の世代」の一部は急進化した新左翼の学生運動に参加した。大学内の保守的体制を変革しようとする大学闘争だけではなく、「七〇年安保粉砕」をスローガンとする新左翼の街頭運動の主力部隊となって、警察の機動隊とたたかった。しかし、結局のところ、「七〇年安保」は「六〇年安保」のときのような、国民的な盛り上がりをおこすことはなかった。大衆からの支持を得られなかった運動・闘争は、次第に現実の枠組みのなかに押し戻されるように終息に向かい、ついには一連のセクト間の抗争や、一九七二年におこった連合赤軍の事件のために、谷間の底に沈んでいった。

日本の社会の、時代の空気の変わり目は、一九七二年から一九七三年にかけてあったと考えられる。その時点について、第一にはっきりしていることは、「革命」の夢が社会のなかでいかなる意味でも現実的な基盤を失っていたことである。革命運動をつづける者たちはいた。むしろ現実的な基盤がないことによって、かれらが暴走的にラディカルになっていくということがあった。芸術表現においても、前衛的なラディカリズムがほとんど症候的に進んでいくという傾向があった。しかし、それは、多様化する社会と文化のなかの、あくまでも一面にすぎなかった。

時代の動きをもう少し追っておく。連合赤軍の事件のおこった一九七二年には、アメリカに占領されていた沖縄が日本に復帰した。一九七三年には石油危機がおこり、日本経済の高度成長にもストップがかかった。しかし、それは一時的な停滞であり、経済の「繁栄」はつづいていく。一九七五年にはヴェトナム戦争が終結し、一九七八年には日中平和友好条約が結ばれ、日本と中国の国交が「正常化」した。また、その年には一九六〇年代からはげしい反対闘争のおこなわれてきた成田国際空港が「開港」した。反対闘争はそのあともつづくが、一部の人々にあった空港反対への共感は薄らいでいった。

大きな状況における問題は消えるか隠されるかして、人々は生活という小さな状況のなかで一喜一憂している。そういうふうになった。それは、「団塊の世代」の大半が社会のなかで大人としての役割をもつようになったことに対応している。生活の細部に楽しいことを見つけていく。そういう生き方が肯定された。その一方では、表面的な静けさのなかに漠然とした挫折感や罪の意識が押し隠されていた。それは、嵐の記憶がまだ生々しく残っている凪の状態であった。文学では、一九七〇年代の半ばくらいから私の同世代か年下の書き手があらたに登場するようになり、終わりごろになって村上春樹が登場した。

私は、一九七〇年代の社会の変化にうまく対応できなかった。詩は書きつづけていたが、変化がおこっていた。私は大学では英文学を専攻した。卒業したのが一九七一年。大学院生から高校教師になり、それから大学教師になった。専門は、ディラン・トマスとW・H・オーデンを中心とする現代イギリス詩だった。そういう道を歩んでいた。運がよかったと言うべきだろう。私と同じように一九六〇年代の終わりごろに登場してこの時期に潰れていった表現者たちのことを思えば、そうなのだ。私たちは変化に対応できないとか言いながらも、しぶとく生き抜いていた。友人の小説家で一九九〇年に自殺することになる佐藤泰志なども、生活的にはめちゃくちゃ大変だったとしても、ここはなんとか生き抜いていた。結局、「団塊の世代」の大半は、自分の生き方がそれほど妥協的になったとも意識せずに生き抜いていたのだ。しかし、端的に言って、私はおもしろくなかった。一九七〇年後半の自分のことを、「詩はだんだんしんどくなっていた。英文学にも意欲がわかなかった。映画とロックでなんとかもちこたえたということにしておきたい」と書いたことがある。映画とロック。自分でやるのではなく、映画を見ることとロックを聴くことと、ということだった。

回想が長くなった。一九六〇年代後半と一九七〇年代、どういうことが起こっていて、自分がそこで夢も見て翻弄もされて迷路をさまようように生きたということが、私にはいつまでも付いてまわる。書くことのなかで、その体験に執着するというよりも、その体験の受動的な部分に別な角度からの動きをもたらそうとしている。「歴史」から自由になるためにであり、好ききらいで言えば、私は「歴史」も「運命」もきらいなのだ。

一九七九年から五年間、私は首都東京を離れて岡山という地方都市ですごした。この岡山にいた時期がターニングポイントになった。行ったときは、いろんなことに絶望して、心は疲れ切っていた。そこで大学教師をやりながら、もう一回、人生を青春期からやりなおしたようなところがある。書くというのは書きなおしていくことであり、生きるというのは生きなおしていくことである。あとになってから思ったことだが、そうなってきた。東京に戻ってから病気をしたけれど、その前から、心は病気から治るという恢復期を生きてきた。一九八〇年代、ずっと恢復の過程にあった気がするし、それが今日までつづいていると感じることもある。

同世代の友人の詩人で批評家の瀬尾育生は、私の詩のもっともよき理解者かもしれない。二つのいい文章を書いてくれているが、そのひとつから引用すると、私は「六〇年代末に一度表現のピークを持ったあと、いったんこれを解体したうえで、八〇年代以降まったく別の形で表現の頂を作ることに成功した、ほとんど唯一の詩人である」。そうだとして、なぜそれができたのか。何に助けられたのか。

英文学の研究者だったことによる大きな財産は、ウィリアム・シェイクスピアとチャールズ・ディケンズのいいところがわかったということ。この二者のいいところはたくさんあるけれど、まず文学で大事なのは人間への好奇心であり、それをおもしろく表現することだってこと。そこから、私は自分のなかの、人間好きな面を、できるだけ活かしていこうと思うようになった。専門とした現代イギリス詩では、まずディラン・トマスの詩が、闇と光や生と死の交錯する宇宙を密室的に作りあげただけでなく、人間への肯定的な「愛」が出てくるところがあるからこそいいのだ、と思うようになった。

しかし、私の恢復期により大きな作用をしたのは、W・H・オーデンの詩である。オーデンを含むイギリスの一九三〇年代の詩人たちと、それに先行するT・S・エリオットは文明や社会に対する考え方などで、日本の「荒地派」の詩人たちの仕事とつながりがある。それについても考えてきたことはあるが、一九八〇年代になって私がつよく感じたのは、オーデンの言葉のもつ、フランス文学の高級感などとは対照的な、徹底して二十世紀のものであるという新しさだ。奥行きのある世界を引きよせながら、身近なことや現実の出来事を題材にして語るように書いている独特の感覚。それに触れていると、私はなぜかいい精神状態になって、自分も書けるようになってくる。ドイツの劇作家ブレヒトの影響も受けていたオーデンにおける「声」のあり方から学んだものがあるのは、確かだ。そこが一九八〇年代だとすると、世界史的に、二十世紀に夢見られたことは全部破産しそうになっていたのだが、待てよ、まだ二十世紀にもなってない部分がこの世界にはたくさんあるじゃないか、と思えてきた。「オーデン以後」という感覚が、私にははっきりとつかめる気がした。私はさらに、それが同世代の詩人荒川洋治について考えた「荒川洋治以後」とどうつながるかというふうに思考を展開してきている。どちらの「以後」にも、味の濃いもの、厚化粧のもの、着飾ったもの、そういうのはもう時代遅れだという感じ方がある。

荒川洋治の名前を出したが、一九八〇年代、オーデンを読みなおしたほかに、荒川洋治の詩、井坂洋子をはじめとする女性詩、そして戦後詩以前のマイナーポエットたちの詩を読んだことが、私の恢復期を後押ししてくれたと思っている。

一九八八年に出した『急にたどりついてしまう』という詩集の一篇、「むこうみず」。

今日も、川べりで
ささやく声をきいた
「きみはまちがっている」
ふりかえることも
なぜかと問うこともできないから
泣いてしまう
子どものころのように
しんとした水に石で挨拶し
いちばん遠い波紋を
いつまでも、いつまでも
みつめていた
おもしろいわけじゃないだろう
おれなんかのうしろに裸足で立って
草たちを笑わせている男
そいつが去り
こんどはおれが
だれかのうしろにそっと立つ

そんな物語に
どこからはいるのか
あと二つ、三つ
愉快な失敗をやらかして
思いもよらないところに波紋をおこしたら
わかるような気がして
名前を知らない草の上に
むぞうさに靴を脱いだ
まちがっている
でも、ものすごくまちがっているわけじゃないだろう

私の詩はこういうところへ出た。最後の二行、「まちがっている／でも、ものすごくまちがっているわけじゃないだろう」は、私の詩の世界のキャッチフレーズ的になり、よく引き合いにだされる。詩集の題『急にたどりついてしまう』は、あとで映画のタイトルにも使ったが、目的の場所にたどりつけないというカフカ的彷徨を弄びすぎているかもしれない現代芸術に対して、人生の側からその逆を出してみようという発想からだった。

ここからでも三十年という時間がたっている。「転向」したと言われ、自分でもそれを認めた

こともある。だけど、ただ「転向」したというわけじゃないってことを証明するために、この三十年をやってきた気もする。自分の出発時からの反抗と実験も含めて、文学史上で詩が可能性としてもったことのどれをもあきらめないという欲ばりな姿勢である。

去年（二〇一二年）出した、いちばん最近の詩集『会いたい人』の冒頭においた「六月の王様」。

野の花を窓に招くたのしみを奪われ
泣き声の通った道路の
命令を、無感覚の川に泳がせて
バスをおりた。雨音の
ウワサだけでもうれしかった
散らばる星たちの政府を
支持する理由も消えたということ。
「知りなさい」と「受け入れなさい」はちがう。

追跡と捕獲
それだけで終わって

どうぞ、と案内の手が押しつけてくる
濡れたもの、湿っているもの
増えるばかりで始末はつかない。
どんなあだ名で呼ばれてもね。
きのうとおなじ地図
おまえがいるかぎり、だれの「ありがとう」も歩かない。

垂直か水平になるしかない棒を
組み合わせただけの従属装置。
でも、内面のないものこそ
使いようだ。
持ち上げて底を拭き
次の機会をうかがう
共犯者たち
この休日のパッケージにまだ「触ってください」なのか。

ビールとレンコン天の

夕方の居酒屋。
窓の外を光が動いていき
だれかの忘れ物をおいたままの椅子が
王様みたいにそれを見ている。
感謝すべきこと、この地上には
まだいくらでもあって
乾かないのはおまえの流した血の跡だけじゃない。

この詩は、二〇一一年の東北大震災の直後にメモのように書いたものをもとにして書いた作品。自分ではなかなかわからないのだが、どういうことをやりたいと思って書いているかを少しだけ述べておきたい。メモが先にあったとはいえ、私は、「青い家」という詩で書いたように、「書くことがなくても書く」ということにこだわっている。何を書くか、何が書けるか、わかっていない。だから書く。わかっていたらもう書く必要はない。

この詩の場合は、深刻な被害をおこした災害のあとの状況に語り手を立たせている。ドゥルーズ式に言えば、地図を描こうとしている。一方でなにかをしなくてはならないという倫理が立ちあがろうとしていて、一方ではその倫理から逃れようとする意識がはたらいている。ここで追いつめられる「おまえ」とは、だれなのか。それはほとんど私だ、というところで書いている。

最後の節、夕方の居酒屋の光景。それを懐かしいと感じながらそういう感情のなかにとどまりたくないという心理と、この世界には感謝すべきことがまだあるという現状を、確認している。ちょっと苦し紛れに言うと、矛盾やパラドックスをそのまま生き抜いてしまいたいのであり、この「おまえ」に語りかける構造に息づいている他者的な「いま」の感覚こそが伝えたいものだ。他者的な「いま」、ひとりで生きているわけではない「いま」だ。詩の言葉は、詩人が読者にむかうのとは別に、自分にむかって発するという側面をもつ。対他と対自。その二つの線をあえて混乱させたい気持ちがある。

詩が必要としているのは、コミュニケーションの新しい回路である。なにかにそれを用意してもらうのではなく、表現から生みだしていく。明治時代以来の、口語日本語による文学の表現は、どこかで足踏みしている気がする。まだ試されていないことがある。

私は二〇一一年からツイッターでも作品を発表してきた。毎朝、書く。その目標のとおりにはやれないが、そこにも最初に述べたドゥルーズ的な「出会い」への期待がある。

迷路のなかに踏みこむ。青空の下へと突き抜けていく。それが同時におこっていい。あるいは、迷路を歩きながら、未知へのドアをノックしたい。一気に、簡潔に、この世界のなにかを肯定したい。そういうことを願っているが、なかなかそうなってはくれない。

いい詩を書かなくちゃな　ノート・二〇一九年四月

1　去年の夏に撮影した長篇映画第六作『パラダイス・ロスト』が完成間近というところだ。今回は、いままで以上に自分の詩と他者のテクストの引用を持ち込んでいる。いつも「こんどはあまり詩を使いません」とか言いながら、結果的には使う。どうしてもそうなる。『パラダイス・ロスト』は、死者の語りと視線が重要な役割を果たす。拠りどころとしたのは、「僕はまもなく死ぬだろう／僕は完全な無機物となるだろう／僕は今まで持たなかった自由をもつだろう」とはじまる木下夕爾の詩「死の歌」と、原民喜の短篇小説『心願の国』の次のような箇所だ。

ふと僕はねむれない寝床で、地球を想像する。夜の冷たさはぞくぞくと僕の寝床に侵入してくる。僕の身躰、僕の存在、僕の核心、どうして僕は今こんなに冷えきつているのか。僕は僕を生存させてゐる地球に呼びかけてみる。すると地球の姿がぼんやりと僕のなかに浮かぶ。哀れな地球、冷えきつた大地よ。

だが、人々の一人一人の心の底に静かな泉が鳴りひびいて、人間の存在の一つ一つが何ものによつても粉砕されない時が、そんな調和がいつかは地上に訪れてくるのを、僕は随分昔から夢みてゐたやうな気がする。

広島で原爆を体験した原民喜。一九五一年三月に自殺するが、『心願の国』はその遺書的作品。彼がすでに初期作品から原爆を予感するような悪夢に踏み込んでいたことに私はおどろくが、ここでは絶望の淵に追い込まれながら人間の愚かさに対してたたかいを挑むように夢を語る。人々の心の底に鳴りひびく「静かな泉」、これほど美しい音楽をもつ文学は滅多にないと思う。木下夕爾の「死の歌」も、その「生の歌」という対の作品とともに、個人的な生と死をこえた自由を手に入れようとするものだ。正直に言うと、ただ引用を持ち込んだなんてものではなく、映画『パラダイス・ロスト』は、この二つのテクストとそのつながりの「発見」から触発されたのである。タイトルはもちろん十七世紀英文学のジョン・ミルトンによる大古典からだ。

2 河村彩の『ロシア構成主義』（共和国）という本を読んだ。副題「生活と造形の組織学」。革命直後のロシアの、まさしく革命的な、活気ある表現については、私はこれまで主に映画で知ってきたが、決定的なことがわかっていなかったかもしれない。十九世紀までの芸術と美意識がどう破産するのか。それは、二十世紀後半には破産する共産主義という体制や政治に負けるのではない。「住まう」「暮らす」「見せる」「報らせる」といった人の営みが必要とするものが、表現としても「よりよき生をめざす」価値をもつものとなる二十世紀の夢に負けるのだ。いままで十九世紀的古い芸術観から切れるという意味で、ベルトルト・ブレヒト、W・H・オーデン、ジャン＝リュック・ゴダールという系譜を考えてきたけど、その前に革命直後のロシアの、自発性をもって芸術が芸術であることに飽き足らない芸術家がいた、といまさらのように気づいた。このロシアが、日本の左翼文学にまったく見えていなかったことはないと思う。そこも探っていきたいけど、ロシア構成主義、ブレヒト、オーデン、荒川洋治、小峰慎也という流れが見えてきた。古い美意識よ、さようなら。もっともらしさ、立派さ、いわくありげな秘密、みんな終わりだ。この決別は何度でも変奏してやらなくてはいけないのだ。私には、政治主義とそれへの反発という対立構造のなかに見失っていた小林多喜二のよさがわかるまでに時間がかかった苦い経験がある。それも思い出した。著者河村彩の言う「政治と社会が急速に望ましくない方向へと向かいつつある日本」の二十一世紀に、二十世紀の夢の出発点からまだ終わってないぞと突きつけたい色彩と構成がある。そう考えると胸が騒ぐ。

3　詩。基本、楽しんで書くことが大事。読む場合も書き手が楽しんで書いているのが伝わってくるのがいい。しかし、その楽しさは純粋なものではありえない。長くやってきてわかったことだが、いい詩は、力量や高度っぽさを見せようとあせってない。単純さの余地を残している。それがないと、ラクに息ができる「隙間」へと抜けだす冒険性をもった楽しさにならない。楽しさとともに、ちょっと浮かない感じがあるのもいい。書く。言葉を並べる。それだけではだめだ。なにか言ってほしい。この「言う」がむずかしい。なにかを言おうとすることには疲労感がともなう。複雑な「いま」が出るところだ。それがないと、立派そうに書いているだけのことになり、「言う」が空振り的になる。でも、あまり疲労を感じていない、という程度がいい。ちょっと浮かない感じ。この疲労の出し方につながる。

4　惹かれる詩人は多い。韓国の詩人ホ・ヒョンマン（許炯萬、一九四五〜）もそのひとり。その「和尚」という作品。詩集『耳を葬る』（クオン）からで、吉川凪の訳。

生れて初めて
和尚さんに呼ばれ　お昼を御馳走になった
ありがたくいただき　お辞儀をして外に出ると
今度はウィスキーを一本持たせてくれた
大事にかかえて山に戻った
その日の夜　ウィスキーを開け

・
一杯やった
いい詩を書けよ　と言われたのだと思い
もう一杯飲んだ
いい詩を書かなきゃな　そう言われたのだと思い
続けさまに飲んだ
ひとり酒なのにただただ充実していた
そうしてちびちびやっているうち
瓶はほとんど空になり
山の奥深く霧がたちこめていた
「おい、詩なんざ　どうってことないぞ
ある日は草の虫に泣き
ある日は野の花を見て笑えばいいんだ」
遠い霧の中から
和尚の豪快な笑い声が聞こえた

「　」のなかの三行は「詩人チョ・オヒョン和尚の詩の一節」と註がある。つまり、和尚はその詩人和尚なのだ。これはソウルで会った作者に直接確かめた。和尚の書く詩は伝統詩だそうだ。「草の虫に泣き」「野の花を見て笑えばいい」というのがいいだけではなく、そこへ行くひとり酒の呼吸がいい。「普通」が愛嬌をもってのんびりとしながらダレていない。自分も「いい詩を書かなきゃな」と思わされるし、またそれがそんなに大層なことじゃないんだとも教えられる。

5　最後に。詩は生きている。私は以前からそう言ってきたが、最近思うのは、生きることそのものが詩であるというように生きるにはどうしたらいいかだ。自分のためだけに生きている人生では、そうはなってくれないだろう。

第二部　映画

映画、世界、人生　ゴダールとトリュフォー

私は最近になって、やっとアンドレ・バザンという人をおもしろいと思うようになった。彼の著作のごく一部を、たまたま英訳で読み直しただけであるが、大昔に日本語訳で読んだときにはつかめなかったものが見えてきた。バザンのいいのは、どういうところだろうか。ヌーヴェルヴァーグを生み出した力につながるように都合よく考えれば、大事なのは次の三点ではないかと思う。

1　ジャン＝ポール・サルトルを理解していた。硬直した左翼とそうではない左翼を区別しながら、社会主義リアリズムなどというものではない、世界の全体をとらえる芸術表現のあり方を（おそらくアメリカ文学を意識しながら）ヴィジョンできた。

2　ロベルト・ロッセリーニ『ドイツ零年』（一九四六）とフェデリコ・フェリーニ『道』（一九五四）を評価して、リアリズムは素材や主題ではなく、いかに描くかにあるのだとした。

悲劇があるとしたら、それは個人の行為の問題ではなく、世界が霊的な次元もふくめたその本質をあらわそうとするからそうなるのだといった見方。(このネオリアリズムの発展的な受容の態度は、のちにジル・ドゥルーズによって受けつがれて、さらに「発展」する。ドゥルーズにおいては、ヌーヴェルヴァーグはネオリアリズムの新しいかたちである。)

3　マリリン・モンローの魅力とその過渡期性(あるいは永遠性)を理解していた。第二次大戦をはさんで、映画のエロティシズムは腿から胸へと移行するのだが、マリリンはその中間、腰のくびれで勝負した。「寝るときはシャネルの5番だけ」という裸の暗示とともに、その部位から滲みでる湿度としてのエロティシズム。もちろん、それは世界の空間へと浸透していくのだ。

1と2は、問題として大きく、そしてつながる。3は、映画の魅惑をめぐる小さな例題のひとつにすぎないかもしれないが、3への感受性もはたらいていたバザンこそが「ヌーヴェルヴァーグの父」たるバザンなのである。

バザンの言ったこと。それ以上に、バザンは映画と世界をどう感じていたか。世界は大きく、謎にみちている。映画もそのなかに世界とおなじ大きさと謎をもつべきなのだ。バザンのそういう感じ方への、つまりはバザンその人への(カトリック的な思考への留保はあるとしても)深い共感から、ヌーヴェルヴァーグは生まれるのだ。

あとは、何が必要だったか。ひとくちにいえば、爆弾を投げる覚悟である。

一九五四年の、トリュフォーが書いた有名なエッセイ「フランス映画のある種の傾向」。フランス映画の「良質の伝統」を全否定したその内容の過激さは、バザンをあわてさせるほどのものだった。確かに、すごい。若いトリュフォーがどうしてこんなにわかってしまったのか。トリュフォーはバザンの代筆さえしたことがあるそうだが、バザンの経験を完璧に自分のものとして、その先を歩こうとしたのだ。

当時のフランス映画のもっとも有力な脚本家コンビだったジャン・オーランシュとピエール・ボスト(「オーランシュ＝ボスト」として仕事をした)に代表される、映画脚本における文学的なもの、いわゆる心理的リアリズムと称されるものが、そもそも、いかに本物の文学とは関係ないものであるか。いまでも、映画と文学の関係が話題になるとき、このトリュフォーのような理解ができない人たちがたくさんいる。そして、心理的リアリズムの、一見、反ブルジョワ的に見える姿勢の欺瞞性をあばいているところに、トリュフォーの独自性があった。

バザン以上に徹底して、左翼にビビっていない。その姿勢を可能にしたのは、トリュフォーは育った環境から底辺的な労働者の気持ちがわかっていた、というのが半分。あと半分は、映画は何をすればいいのかについての、バザン譲りの確信があったのである。映画は、社会からも文学からも多くのものを受けとる。しかし、社会や文学を口実にするな。リアリズムはいいが、社会主義リアリズムとか心理的リアリズムなんてない。必要なのは、そんな呼び方のもとに用意されたものをなぞることではなく、出会いと発見なのだ。

バザンからトリュフォーへ。

要するに、一般にはよいとされている作品群がどうしてつまらないのかを、はっきりさせたのである。しかも、トリュフォーはそれを、「自分には」ではなく、「自分たちには」と言うことができた。

そして、単なる趣味の問題をこえて、一九五〇年代後半からの世界の動き、文化の動きを先取りしているものが、そこにあった。イギリスの「怒れる若者たち」やアメリカの「ビート世代」に代表される体制批判。ビートルズやボブ・ディランが登場するポップカルチャーの進化。もっと素朴には、アメリカ文化への、最後にはそれを突き抜けるところまで行ってしまうようなあこがれ。ヌーヴェルヴァーグは、そういうもの全部とつながっていた。欲望と知的課題。その二つの方向が交錯するのがヌーヴェルヴァーグだったのだ。

ヌーヴェルヴァーグの「理念」。まず、それを確かめたかった。しかし、それはこの運動の前提であり、もうひとつ、もっと大事なこととして、ヌーヴェルヴァーグの「空気」がある。実際にそれを呼吸した体験をもつ山田宏一の著作が、結局のところ、個人的な記述に終始しているように、私も、ここまで以上に私的なことを語らせてもらおう。

私は、一九六〇年代の半ば、高校生のときにゴダールとトリュフォーの作品に出会い、それと同時に8ミリ作品を撮りはじめた。高三のときから若松プロに出入りして、大学では16ミリ作品を作った。政治的な意味での「嵐の季節」にも、そこで自分を支えるための吉本隆明の思想にも、まさしく欲望と知的な課題をひとつにする場としての現代詩にも洗礼を受けたが、そんなことは全部ほっぽりだしてしまえるくらい、映画を作ることこそがつねに最大の関心事だった。それから四十年以上たったいまも、精神的には、まったく変わらない。運がいいのかわるいのか、いま、ようやく三本目の長篇映画を完成させたところである。

そしてあくまでも象徴的に言うのであるが、私は、自分がここまで映画をあきらめずにやってきたのは、いつも手もとに竹内書店版ゴダール全集第四巻『ゴダール全エッセイ集』(一九七〇、蓮實重彦・保苅瑞穂訳)があったからだと思っている。いまでは、これに増補した内容の奥村昭夫訳の立派な本もあるわけだが、この竹内書店版は特別である。要するに、ヌーヴェルヴァーグの「空気」が詰まっているのだ。

どの文章も何十回読んだかわからない。そうなるとかえって出したいページが開かなかったりする。でも、大丈夫。アトランダムに見えてくる言葉を拾ってみるだけで、それを読む自分がゴダールの描く登場人物となったように、映画を撮りたい気持ちになってくる。

「夕暮になると、サン・ジェルマンの大通りを大股に歩くのがわたしのならわしだ。一昨日、そこで友人の映画作家エリック・ロメールに出会った。」「もしも映画が存在しなくなっても、ニコラス・レイだけにはもう一度映画を発明する力があるような気がする。」「『大人は判ってくれない』をたずさえて、フランソワ・トリュフォーはまるで少年時代に中学に入学する時のように現代映画に登場する。」「『アマチュア』の長篇映画はあらかじめ面白いものときまっている」といった具合である。

そして、映画批評であるとともに、一九五〇年代のパリに生きているという現実と美しい夢とを機知でつなぎあわせるこの書物の真ん中を過ぎたあたりで、一九五九年、『勝手にしやがれ』の年となり、彼の選ぶその年のベストテンの七位から九位までに、レネの『二十四時間の情事』、トリュフォーの『大人は判ってくれない』、シャブロルの大ヒット『いとこ同志』が並ぶ。そこまでゴダールの言葉を追い、それがたちのぼらせる空気のなかを歩いたら、もうゴダールから逃げては帰れないというのが、この四十年間、私がくりかえし思ったことである。

ゴダールの信奉者たちの一部の文章に出くわすたびに、ゴダールがそんなに好きだというくせに、なんというひどい文章を書くのだという思いにとらえられてきた。映画史に向かう前に、せめてひとりの詩人をちゃんと読み抜いてきたらどうだと言いたくなる。

トリュフォーを熱愛する小林政広監督にすすめられて、見逃していた『逃げ去る恋』（一九七九）を見たところである。現在とこれまでのドワネル物からの引用による回想をつなぎ合わせた人生の物語。ドワネルはなぜ小説を書いているのだろう。ヌーヴェルヴァーグにおける文学について、あるいはオーランシュ＝ポスト的なものとは対極にある文学と映画の関係について、多くの人たちが看過してきたものがある気がする。ヌーヴェルヴァーグの「空気」は、何よりも、バザンの言葉、その批評がはらむ詩から、はじまっているのだ。

バザンの批評（もう詩といってもおなじことだろう）のもとで育った若者たちが批評家となり、監督もするようになった。それから半世紀。トリュフォーは早く亡くなり、ロメールとシャブロルも最近亡くなった。映画、世界、人生。それぞれの生き抜いてきた時間が表現のなかに出ているると同時に、通俗文学的・物語的な意味での「成熟」を裏切るような、だからこそヌーヴェルヴァーグだと納得させる若さを、それぞれのやり方で保存して、だれもただの大家なんかにはならなかった。感謝とともに、そのことを認めたい。

アメリカの批評家ポーリン・ケイルは、『カルメンという名の女』(一九八三)を評したとき、ゴダールについて「なにか深いレベルで傷つき、二度と傷つきたくないのだ」と揶揄した。ゴダールだけでなく、ある時期からのこの仲間たちの仕事には、どこかそういう感じがつきまとうが、そのことすら、かれらが生きることと映画を別のことにしないで、雑誌「カイエ・デュ・シネマ」という拠点から言葉を武器にして、大きな敵へと殴り込みをかけようとしたときからの、苦い必然である気もしてくる。

ジャン＝リュック・ゴダールの初期についての10のメモ

1　映画批評から出発した。映画を批評することと映画を作ることが別のことではないと考えた。

2　映画史の全体と向かいあい、映画そのものを主題とした。

3　現実と映画の関係に対する新しいヴィジョンをもちこんだ。

4　映画を作ることは、職業や仕事ではなく、生存そのものであるとした。

5　グリフィスからサミュエル・フラーまでの、あるいはハワード・ホークス、ニコラス・レイ、アンソニー・マンといったアメリカ映画の作家たちを評価。アメリカ映画の批評的解釈として作品を作っている側面があった。そして、『気狂いピエロ』の悲劇性は、死にゆくアメリカ映画への追悼的な意味をもった。

6　アメリカ映画的な活劇性に変わる「刺激」として、社会学と政治的思考を導入した。

7　映像化された物語ではなく、演技する俳優たちの記録としての映画をつくった。

8　「感動とはなにか。それは映画だ」としながら、人間的な感動や感情を表現から追放しようとする逆説を生きていた。

9　アンナ・カリーナとの共同作業。そのコンビの解消によって、映画史的な遺産と対決しながらそれを受けついでいくという、ひとつの夢が終わった。

10　アンナ・カリーナの演技は、映画のなかに人間が存在することの魅惑を最大限にひきだすものだった。

カツ丼と味噌汁　追悼・若松孝二

一九六六年の秋、高校三年生だった私は、『壁の中の秘事』（一九六五）と『裏切りの季節』（一九六六）の二本立てをやっていた新宿の京王名画座の前で、若松孝二と大和屋竺に会った。「遊びに来い」と言われたので、さっそく次の日、渋谷の仁丹ビルにあった若松プロを訪ねた。まだ夕方にならない午後だった気がする。『白の人造美女』（一九六六）と『情欲の黒水仙』（一九六六）の二本撮りに入る直前でごったがえしていたが、若松さんはいきなり「腹減ってるだろう」と、カツ丼の出前をとってくれた。

次に行ったのは、それから数週間たった日の午前中。朝から学校をさぼり、行く場所がなかったのだ。若松さんはちょうど起きたところで、「これから味噌汁つくるから、朝飯いっしょに食おう」と言ってくれた。

高校生というのは、いつでもお腹がすいている。カツ丼も、朝飯もおいしく、しっかりと食べた。

個人的な意味では、若松孝二という人は最後の最後まで、そのカツ丼と味噌汁の味のなかにいた。文句なしに、血の通った人間としてのぬくもりを感じさせる、ケンカのつよそうな三十歳の男だ。それ以後のこと、表現者としてどうだったかということなんか、どうでもいい気がしてくる。

最後に会ったのは、二〇〇八年の十二月だったろうか。私の長篇第二作『岡山の娘』を上映していたポレポレ東中野にトークゲストで来てくれた。五千円しか入っていない「車代」を開けもしないで「飲み代の足しにしろ」と返してくれ、「安いところに行こう。そこのラーメン屋でいい」と言った調子。私に対してというよりも、いつも、妻にやさしかった。

お金のことでは、笑い話的なエピソードがいくつもある。自分のお金で映画を撮ってきたという、その金銭感覚のリアリズムと憎めない人間ぶりの同居には、映画監督という種族でかなう者はいないだろう。

あと、好きだったのは、とくに映画好きという感じではなかったところ。「小津なんか見たことない」というのが有名だが、映画史にならぶ偉大な監督たちへの敬意がないだけでなく、そもそも映画ファン的な熱中体験とは無縁な場所で映画に接していた。

「映画のなかだったら警官だってなんだって殺せる。だから撮っている」

これだった。実に簡単である。

これだけ言えばもう十分だという気もするのだが、その仕事についても、少しだけ素描しておきたい。

私は、『情事の履歴書』（一九六五）、『歪んだ関係』（一九六五）、『欲望の血がしたたる』（一九六五）、『引きさかれた情事』（一九六六）といった、普通のピンク映画から脱却していく時期の作品群に、ものすごく愛着がある。ピンク映画ということだけでなく、それまでの日本映画との対話があり、さらに挑戦となる大きな一歩を踏み出している。

『胎児が密猟する時』（一九六六）以降の、若松プロの「快進撃」は、そういうふうに映画が作られていったこと自体に大きな意味がある。どうやったら一本の映画ができるのか。その効率の工夫と、映画というジャンルへの冒険的な姿勢。ゴダールにもオリヴェイラにも負けない「発見」がそこにはある。

ピンク映画。そこから出発した監督で、ほんとうに「作家」としての表現の厚みをもって時代と向きあったのは、若松孝二、高橋伴明、瀬々敬久の三人だと思う。

高橋伴明は若松孝二よりも何倍も世界がわかっているし、瀬々敬久はさらにそれ以上だとしたいが、どうだろう。ここまで来て、知名度、存在感、わかりやすさ、いい意味での愚かさといったこと以外にも、なにか、若松孝二が二人よりも誇っているものがある気がする。それは、「芸術性」や「力量」の神話からの自由度ではないだろうか。

『赤軍――ＰＦＬＰ・世界戦争宣言』（一九七一）という、まさに憎めないオーヴァーランを経て、『天使の恍惚』（一九七二）をいささか拍子抜けのゴールとした「快進撃」のあとの、七〇年代、八〇年代、九〇年代の若松作品については、あまり語る気がおこらない。打率は低かった。「正義」の浅い出し方に首をかしげた作品が何本もある。いちばん気に入ったのは『寝盗られ宗介』(一九九二)。最悪なのは『われに撃つ用意あり』(一九九〇)だと私は思っている。

二〇〇五年、『17歳の風景 少年は何を見たのか』が出たときには、ちょっと驚いた。左翼的なものへの同調というレヴェルをこえて、主人公とともに若松孝二がなにかを学ぶ姿勢を見せていた。劇映画のルーティンも壊している。六〇年代後半の「発見」がよみがえっているという以上の、気合いを感じた。

『実録・連合赤軍 あさま山荘への道程』(二〇〇八)も、『キャタピラー』(二〇一〇)も、『海燕ホテル・ブルー』(二〇一二)も、『11・25自決の日 三島由紀夫と若者たち』(二〇一二)も、『千年の愉楽』(二〇一二)も、スキだらけの、半端な嘘の多い作品だ。しかし、どれも、ある一点でなんとか映画になっている。

その一点のつかみ方。カツ丼と味噌汁につながるものがあると勝手に考えている。

『現代性犯罪暗黒編　ある通り魔の告白』のときのこと

一九六七年に『性犯罪』に出演したのが、役者をやった最初だった。撮影は九月だったろうか。私の出たシーンは新宿の国際名画座で撮った。ピンク映画を見ながらマスターベーションしている学生の役で、それを主人公の吉沢健に見られてからかわれ、ケンカのようになるのだったか。まだ暑くて、半袖のシャツを着ていた。大学に入った年だ。

若松プロに出入りするようになったのは、高校三年の秋。それから一年くらいたっていた。そこまでの一年は、とくに特別扱い的に可愛がられた。私は、大和屋竺たちの日活の助監督グループと足立正生たちの日大芸術学部グループよりも下の世代で、若松プロの扉を叩いた最初の若者だったのである。

一九六八年の二月くらいに『腹貸し女』にちょっと出た。音楽を担当したジャックスの早川義夫と一緒のシーンがあった。このときは寒くて、風邪をひいていたのをおぼえている。

その直後くらいに、私は三一書房の高校生新書で『明後日は十七歳』という小説を出した。その印税のお金が入るのをあてこんで、高間賢治たちと16ミリの『青春伝説序論』という映画を作りはじめた。春に都内で撮りだし、夏、伊豆で合宿ロケをした。都立大の映画研究会のメンバーがスタッフだった。

この作品がなかなか仕上がらなくて、印税だけでは足りなくなった。でも、私はいわゆる普通のバイトができないたちだった。若松プロで役者やって、少しでもお金を稼ごうとした。いや、これは結果的にそうだったという話である。

一九六九年。たぶん三月に、富士山の麓の御殿場で、足立正生監督の『女学生ゲリラ』と大和屋竺脚本、若松孝二監督の『処女ゲバゲバ』の撮影があった。

『女学生ゲリラ』で役者をやって、そのあと、『処女ゲバゲバ』でたくさんいた助監督のひとりになるはずだった。『処女ゲバゲバ』は二日半くらいで撮影されたのに、私は風邪で具合がわるくなり、少し仕事をしただけで途中で帰った。三月でまだ寒いのに、『女学生ゲリラ』では滝壺で泳いだりしたし、『処女ゲバゲバ』はまさに荒野での撮影で、風邪ひくのはしかたないような現場だったが、自分ではとても情けなく感じた。

それがあり、さらに、できあがった『女学生ゲリラ』の自分のひどさに落胆した。現場で一番元気に動いていたつもりだったが、それが画面には出ていなかった。

そのころ、一本シナリオを書いた。足立正生はおもしろがってくれたけど、登場人物が多すぎて金がかかるというので、若松孝二は乗らなかった。あまりよくおぼえていないが、話もわけがわからないというものだったろう。

「もっと簡単なホンで、おまえが主演しろ」と若松孝二が言いだして、一気に話が進んだのが『ある通り魔の告白』である。

若松孝二は、「ＰＴＡのおしゃもじババア」というのを、彼の軽蔑する種族の代表として、口ぐせみたいに言っていた。そういうおばさんたちが悲鳴をあげて逃げ出すような作品にしろ、ということだったと思う。

私は、二十歳になったばかりで、そういう時期の男子の欲求不満とアナーキーな衝動を重ねて、自分と同じ大学生の主人公を考えた。脚本を書いているときは『牝犬どもを抱き殺せ』という題だった気がする。

撮影は五日間だったか。この作品から撮影助手についた高間賢治と一緒に、原宿の若松プロに泊まり込んだ。若松孝二と三人で夜をすごしたのである。

演技は大変だった。『女学生ゲリラ』のときの何倍も苦労した。脚本の書き方が幼稚で、主人公の一人称の語りで進んでいくから、ずっと出ずっぱりで休めなかったし、若松演出はきびしかった。自分の書いたホンなのに、演技にダメ出しをされる。それを不服がると、「おまえができないんだからしかたないだろう」と責められた。足立組とは、ほんとうに大違いである。足立組では、台詞をちゃんと言えなくても、アフレコでなんとかするということでオーケーになることがあった。若松組では、そんなことは許されなかった。

主人公が最初の殺人をしてアパートに帰り、死体の幻覚を見るシーンがある。若松孝二はそのシーンに思い入れがあった。彼は一九六四年、『裸の影』のあとにやった『手錠のままの脱獄』風の作品の撮影で、役者を二人死なせている。そのあと、死体の幻覚をよく見たらしい。それをやろうということだった。ところが、アパートに帰ってきてドアをあけて驚くというのを、私が巧くやれなかった。何回テストしても、だめ。それでも本番をやることになった。自信のなかった私がドアをあけたら、そこに両手をジャンケンのグーにした若松孝二自身がいた。びっくりした。それでオーケーとなった。

ラスト。シナリオでは、私の役は捕まらずにさらに獲物を求めて自転車に乗っていく。それを撮ったと思う。でも、あとから、警察の現場検証の場面を追加撮影することになった。私は不満だったが、「尺が足りないんだ」と説得された。結果的には、このラストの私は悪くないと思った。撮影中から若松孝二は私の「顔」をほめていた。筋の展開はどうでも、「顔」で表現できるものがあることを学んだ。

追加撮影はもうひとつあった。私がだれかの腹を刺すところの、アップが欲しいということになった。血の出るお腹を助監督の小水一男が作った。「一発で刺せる自信があるか」と小水一男に言われ、私はビビった。結局、小水一男が刺したと思う。

撮影のあと、アフレコが撮影以上に大変だった。若松孝二だけではなく、録音部からオーケーがなかなか出なかった。私はいまでもそうだが、滑舌がわるく、セリフがこもるのである。それを何度も直された。

アフレコがなんとか終わって「やっと解放される」と私が言うと、若松孝二は「甘い。人間、どこまでも解放なんかされない」と言った。それがとても印象に残っている。

若松孝二は三十二歳か三十三歳。こちらは二十歳。映画にかぎった話ではなく、経験の差は圧倒的だったのである。

若松孝二の亡くなったあとの雑誌「映画芸術」の座談会でわかったのだが、私の待遇はわるくなかった。『性犯罪』に一日だけ出たときが一万円で、『女学生ゲリラ』が二万円。そして『ある通り魔の告白』は、脚本三万、主演三万の計六万円だった。しかし、そのとき、私は十万円必要としていて、足りなかった。それを芦川絵理と二人で飲んだときに話した。そうしたら、彼女が四万円貸してくれた。返すのはいつでもいいという話だったが、そのあと、しばらくして彼女が所属していたプロ鷹をやめたとき、返してくれと言われ、返したと思う。

彼女と初めて会ったのは、『女学生ゲリラ』の撮影の初日。髪を金髪にしていて、いつもいしだあゆみの歌をくちずさんでいた。『女学生ゲリラ』の彼女は、わけのわからない怪物的少女になっているが、『処女ゲバゲバ』の花子がよかった。『ある通り魔の告白』も、樹に縛りつけられた彼女は、まず、図柄として決まっていた。彼女は現代少女だったが、プロ鷹で大事に育てられたところがあり、B級スターの味をもっていた。

ずっとあとに私は『急にたどりついてしまう』を撮るが、そのヒロインに松井友子を選んだ。

松井友子と芦川絵理には共通したものがあり、それもあって私は気に入っていたのだと、わりと最近になって気づいた。

「バッキャロー」の行方　石井輝男と高倉健

一九六一年、石井輝男は倒産寸前の新東宝から東映に仕事の場を転じた。最初の作品は『花と嵐とギャング』。そこで高倉健と鶴田浩二に出会う。石井輝男は鶴田浩二はめんどうくさいと感じ、高倉健が気に入った。

監督と主演俳優が「触発」しあってなにかを生みだし、それが連続する。このコンビの作品群もそういう例のひとつである。

新東宝時代の石井作品で主演していた男優は宇津井健、天知茂、吉田輝雄だった。石井輝男はかれらにそれぞれの持ち味を発揮させて、独特のセンスでこの世の裏通りと夜の怖さに踏み込む作品を放った。三ツ矢歌子から三原葉子までの女優の魅力の引きだし方も巧かったが、主演男優がどう動くか、動いて何にぶつかるかというスリルをつなぐことが、脚本的な構築・構成よりも大事だという作り方だった。そこで得たもの。一面では宇津井・天知・吉田から受けとったものだったろうが、それを高倉健との仕事に活かしたのである。

高倉健のほうでも、脱皮するチャンスが到来したと感じたにちがいない。『花と嵐とギャング』のラスト、彼の演じるスマイリー健は「バッキャロー」と叫ぶ。新しい地平に立った高倉健が吠えていた。

いろんな要素が重なっている。佐治乾の「古めかしい」脚本を直しながら撮っていった。スマイリー健。まさにニヤつき、おっちょこちょいで、いきがるチンピラ。そこで喜劇的な解放感をたちのぼらせながら、一方では痛快な男らしさをちゃんと備えている。「網走番外地」シリーズの主人公橘真一までの距離はそんなにない。石井輝男が入る以前から、東映東京撮影所の空気にあったものが日活アクションの遊び的感覚とはちがう、泥くさくリアルな感じの根元にはある。それ以前の高倉健は「鳴かず飛ばず」だったというが、実はいくつかの作品ではすでに独特の不器用さが独特の魅力になっていた。それも残しながらの、新しい地平だった。

それは、新東宝の「ライン」シリーズの裏通りに続いている地平だった。その怖さ、不穏さ、奥行きを感じとりながら、社会のなにかに抗議している表情。高倉健はそれをつかんで「バッキャロー」と吠えたのだ。深作欣二が「剃刀で切ったようなカッティング、ダンモの乗っかるシャープな映像」と評した映像、石井輝男本人によれば「やるだけやっちゃえと思った」という映像のなかで。

あとは、企画がどう展開するかというだけだったか。石井輝男は東映の古い体質とたたかいながら、オリジナル脚本で自由に撮るという方向に作品を連打していった。高倉健は「ギャング」

シリーズの集団劇・群像劇のなかで、文字通り群を抜く魅力を発揮することでスターとしての地歩を固めていった。

一九六三年、このコンビは石井輝男が前からやりたいと考えていた、W・P・マッギヴァーン原作の『親分を倒せ』を作る。そのころ高倉健の演技にはまだ、試行錯誤している印象が少しある。もうひとつ大きくなるための停滞といった感じだったろうか。

一九六四年の二つの作品、『ならず者』と『いれずみ突撃隊』がすばらしい。前者は、新東宝の「ライン」シリーズでの、想像による「夜」を現実のマカオに見出したというものであり、そこで「嘘をつかない、人を欺さない」高倉健の主人公がこれ以上はないという激しさで怒りを爆発させる。後者も、戦争を舞台にしたことによって、主人公の感情の振幅を限界まで広げることができた。どちらのラストも、『花と嵐とギャング』の「バッキャロー」からの必然を感じさせる「バッキャロー」的ラストであった。そこまでまっすぐに歩きぬく高倉健。それを真ん中においた映画。「網走番外地」シリーズの下地は完全にできあがった。

当時を回想して、石井輝男は「なんとか健さんをね、ドカーンとしたところへもっていきたくなって。好きだったし、それでもっともっとね、のびられる俳優だと思ってたし」と私に語った。一方、高倉健は『網走番外地』の第一作のときに、石井輝男が粗末な旅館の部屋で寝ているのを見て、「この映画をヒットさせるためなら……。監督を笑顔にするためなら、俺はどんなことでもするぞ」とスタッフに言った、というエピソードを残している。

「網走番外地」シリーズは、「触発」しあってきた二人の夢の実現だったろうか。主人公橘真一のイメージには柔軟性があった。もっともらしい劇の構築・構成のなかに引きこめば、「日本俠客伝」シリーズをはじめとする本格任俠物にも、のちの山田洋次『幸福の黄色いハンカチ』（一九七七）にさえも連絡しうる「人情」の要素もあった。そうだとしても、高倉健という役者のベースはこっちなのだと言いたい。

そのあと、『現代任俠史』（一九七三）と『大脱獄』（一九七五）というコンビ作が散発的にあったとはいえ、二人は別々の道を歩いた。高倉健には最後まで「バッキャロー」が残っていた、と信じたい気持ちが私にはある。

とんでもないシンデレラ姫　高峰秀子

高峰秀子は大正十三年、一九二四年に生まれた。私の母と同じである。私が特別な関心をもってきた監督石井輝男もそうだった。この三人のなかでは、石井輝男が一番先に、二〇〇六年にこの世を去った。高峰秀子は二〇一〇年に亡くなった。母が一番長生きして去年（二〇一五年）亡くなった。

母は同い年の親近感もあって、高峰秀子のファンだった。私が小学校低学年のとき、母と一緒に高峰秀子の出演作品を何本か見ている。私の小学校入学は一九五五年。母と何を見たか。まちがいないのは木下惠介の『喜びも悲しみも幾年月』（一九五七）と稲垣浩の『無法松の一生』（一九五八）である。前者は主題歌と佐田啓二の老けた顔が、後者は三船敏郎の太鼓が再見したときの、そこに至るまでのものすごく退屈した記憶にかさなってよみがえった。

高峰秀子の著書も昔からうちにあった。彼女は幼いころから賢かった。母はそれをものがたるエピソードを、私に語った。養母に育てられた境遇への同情も口にしたが、母にあった向上心が同性が同世代の同性に抱く、ファン意識以上の共感と敬意になっていたと思う。母もそうだが、同世代の多くの女性は生き方でも感じ方でも、高峰秀子がエッセイで立っているような、独特の気高さと思考のリアリズムの結びつく地平へと抜け出ることはできなかった。高峰秀子のスター性の一端が、ここに見える。

しかし実は、と急いで断らなくてはならない。世代と性をはずしても、そして映画界の外まで見まわしても、目の力+言う力で、この、エッセイも書いた女優に太刀打ちできる存在を、私は思いつかない。

石井輝男は成瀬巳喜男の新東宝作品で、助監督をした。映画批評家でシナリオも書いた岸松雄に私淑していたので、その示唆で「娯楽派」の渡辺邦男とともに「芸術派」の清水宏と成瀬巳喜男に付いた。私は石井輝男が成瀬巳喜男という「師」から受けとったものについて語るのを何度も聞いた。やはり深い共感と敬意が伝わってきた。そのおまけとして、監督もした女優田中絹代への「批判」も石井輝男は語った。石井輝男は高峰秀子主演の成瀬作品の助監督はしていないが、『浮雲』(一九五五)とそこでの高峰秀子との仕事について成瀬巳喜男から話を聞いていた。「デコのまるい顔を撮るのに飽きちゃったよ」と言いながら、この師が「やれた」「行けた」という達成感をもったことを、石井輝男は見逃していなかった。そんな経緯から、石井輝男インタビューを続けていた私のなかに、監督もした女優田中絹代とエッセイも書いた女優高峰秀子が対照的に存在する場所として、一九五〇年代の日本映画のひとつの構図が浮かんできた。私が田中絹代に冷たいのはこのことも影響している。高峰秀子は田中絹代に可愛がられた。そのことを感謝して語っている。しかし、愛着や尊敬をはっきりと示して入江たか子や杉村春子を語るのとは調子がちがうと思う。

ともに成瀬巳喜男のそばにいながら、高峰秀子と石井輝男は接点をもつことがなかった。高峰秀子は一九六〇年代以降の、産業的に衰弱していった日本映画の「退廃」を腹立たしく感じたひとりだろう。彼女の出演した夫の松山善三監督作品や木下恵介の晩年の作品は、そうした退廃に抵抗するように「いい映画」であろうとしたものだ。言ってしまえば、文部省選定的な「いい映画」の限界を示している。石井輝男は退廃のなかで、むしろその傷口を押し広げるように仕事をした。最後の最後まで「いい映画」の反対をやりきったところがある。映画史はいつも、こんなふうに対立を浮かびあがらせる。ある意味で、どちらもそこに追い込まれたのだ。立場を言うだけの、対立への紋切り型の反応は退屈である。対立の前後や間をどう歩くか。課題のひとつはそれだ。

一九五〇年代前半の高峰秀子。

五歳からの子役時代、十代のアイドル時代、そして戦争直後の娯楽映画にたくさん出てスターの地位を確保した時代のあとの彼女ということである。一九五〇年、彼女は二十六歳。この時点で、演技者としての経験の豊富さと人気をあわせて、彼女にかなう女優はいなかった。日本映画だけではなく、アメリカやヨーロッパを視野に入れて考えてもそう言える、と最近になって気づいた。

そこまででもいろんな役をやっているが、そのイメージは下町的な、庶民性のある元気な娘である。男性に負けない中性的な強さを感じさせた。日本の女優における「中性的」の多くの場合がそうなのだが、高峰秀子の「中性的」も「アジア的」と「芸能的」につながる面がある。その「アジア的」と「芸能的」の出し方が巧かった。どぎつくなかった。スマートだった。可愛かった。こう言いながら、反対のどぎつい例の代表と私が思っているのは美空ひばりである。少女時代の美空ひばりは歌だけでなく、演技でも天才的だ。しかし、その「中性的」は美貌へのひっくり返しがつくれない。だから余裕のない感じになる。歌手として大成したのだからいいのだろうが、女優としてはそれが致命的だった。

高峰秀子のイメージには、いろんな面で余裕がある。無理がないと感じさせる。それが天性のものかどうかわからないが、そのイメージは素顔に近いものだったと思う。その証拠としてあげたいのは、木下恵介の『カルメン故郷に帰る』(一九五一)の撮影の合間に描かれたという梅原龍三郎の「高峰秀子嬢」(「カニ」と呼ばれている作品)ほかの肖像画である。そこには強さと気品がある。絵画にも嘘はあるだろうが、梅原龍三郎を惹きつけた高峰秀子の地力とでもいうべきものは疑いようがない。

この機会に、さかのぼって太宰治の遺作小説『グッド・バイ』(一九四九)にも触れておきたい。太宰治は高峰秀子に会い、酔っぱらいながらも見るべきものを見逃すことなく、『グッド・バイ』のヒロイン、キヌ子を高峰秀子の役として造型した。

とんでもないシンデレラ姫。洋装の好みも高雅。からだが、ほっそりして、手足が可憐(かれん)に小さく、二十三、四、いや、五、六、顔は愁(うれ)いを含んで、梨(なし)の花の如く幽(かす)かに青く、まさしく高貴、すごい美人、これがあの十貫を楽に背負うかつぎ屋とは。

怪力で十貫の荷を楽々とかつぎ、口もわるい闇屋のキヌ子が、品格のある美女に変貌する。太宰治は高峰秀子という素材を、そんなふうに活かそうとした。もうすぐ死ぬ人間とは思えない、楽しそうな書きぶりである。高峰秀子が太宰治の目にどう映ったかがよくわかる。この未完の小説は太宰治の書かなかった先をつくって、小国英雄脚本・島耕作監督で映画化された。中黒を入れない『グッドバイ』(一九四九)である。私がこれを見たのはいつだったろう。森雅之がつきあってきた女たちに別れ話を持ちだすのに、美しく「化けた」高峰秀子を連れていく。成瀬巳喜男の『浮雲』(一九五五)での、森・高峰のコンビのなにかと前史的に交差するものがあるのでは、という期待があった。どうだったか。残念ながら記憶がはっきりしない。

こういう話題で書いておきたいことがもうひとつある。

高峰秀子の最初の本『巴里ひとりある記』にある一九五一年の「パリ留学」のときに撮影され

た写真のなかには、ほんとうに素敵な女性がいる。ヌーヴェルヴァーグを先取りしているくらいにカッコいい。それは地なのか。演技なのか。演技だとしても、存在としての魅力がたっぷりある。撮りたい女優。見たい女優。「中性的なもの」「アジア的なもの」「芸能的なもの」からの、それぞれほんのわずかな踏み出しで、高峰秀子はそれになることができた。映画作品以上にそう感じさせる写真群である。ちょっと大げさに言えば、『巴里ひとりある記』のセンスのいい文章とともに、このわたしをどう活かしてくれるのか、と日本映画の当時の「いま」に問いかけているように見える。

私が考える日本映画の一九五〇年代。

まず前半は、東宝争議、とくに一九四八年の第三次闘争の「余波」のなかにあった。高峰秀子も参加した「十人の旗の会」や新東宝という映画会社の存在が象徴的である。一九四七年の二・一ゼネスト中止からの流れであったが、映画界では、ともに久板栄二郎脚本で一九四六年に出た黒澤明『わが青春に悔なし』や木下恵介『大曽根家の朝』のようなストレートな「民主主義賛歌」にブレーキがかかった。

そういう一面とは反対に、独立プロを中心として左翼性をはっきりと打ちだす動きもおこった。黒澤明と木下恵介は左翼でも進歩派でもなかったから、打撃は被っていない。むしろこの先に本領を発揮していく。一方、小津安二郎、溝口健二、成瀬巳喜男、内田吐夢といった一九三〇年代後半にすぐれた作品を放った監督たちは、戦後まもなくはパッとしないか、不在だったかだが、一九五〇年前後から徐々に復調してくる。

一九五〇年代後半には、増村保造と今村昌平に代表される当時の「新世代」の監督たちが輩出する。かれらと黒澤・木下の中間には市川崑や川島雄三がいて話が複雑になるが、「旧世代」の巨匠たちがあとから来る「新世代」に対してどう負けていないか。主張しうる何をもっているか。それが、日本映画の黄金期ともされる一九五〇年代の焦点のひとつだと私は考える。個人的なことを言うと、私は、同時代的に自分が身近に感じた「新世代」に肩をもつ見方からなかなか抜けられない。高峰秀子は市川崑作品にも出演したが、代表的な作品は「旧世代」の監督との仕事である。端的に、それが惜しかったと私は思う。彼女の夫の松山善三はデビューが遅れるが、「新世代」という感じがあまりしない存在である。

一九五〇年、高峰秀子は東宝争議から生まれた新東宝での仕事が続いていた。阿部豊の『細雪』で「おてんばで行動的な」四女妙子を演じた。それに続いて、小津安二郎の唯一の新東宝作品『宗方姉妹』に出る。小津安二郎は姉役の田中絹代を「苛めた」が、妹役の高峰秀子は自由にやらせた。結果として、この妹は戦後の小津作品のなかでは異質だと思える存在感を発揮している。

『細雪』も『宗方姉妹』も、高峰秀子はその地を出してのびのびとやっていると言えるだろうか。どちらの役も下町的な庶民性がじゃまになるという面はあった。話を先にもっていくが、それがじゃまにならなかった佳作が五所平之助の『煙突の見える場所』(一九五三)である。冷静なところのある、賢い娘。彼女がもっと活躍すればもっといい映画になっただろう、という意味のことを佐藤忠男が書いていた。そうかもしれない。高峰秀子の出番はそんなに多くない。そして、華やかさゼロの、野暮ったいくらいの衣装で、言うことは慎重でまともだ。けれども、彼女が出てくるたびに、作品のなかをまっすぐに自前で通っていく線を感じさせる。それがすばらしい。

どういうわけか、私は『煙突の見える場所』を何度も見ている。前半は、真ん中にいる田中絹代と上原謙をはじめとして、高峰秀子以外の人物は戯画化されてチョコマカと動いているだけに見える。それがみんな、だんだん人間になってくる。それに応じて、高峰秀子は地味さは変わらないのに、魅力的になる。ときにはハッとさせるほどだ。彼女が素顔の地でもっている思考のリアリズムも発揮されて、いかにも言いそうなセリフをしっかりと言って、いたずらに希望を語らない。最後には、この世界への肯定感が煙突の見え方と同じようなふしぎさで、たちのぼる。脚本は小国英雄。一九五〇年代の日本映画の底力を感じさせる作品だ。ほかにもあると思うが、その底力に寄りそうように高峰秀子の演技が息づいている、幸福な例である。

底力と言ったが、一九五〇年代の日本映画、シネマスコープ一辺倒になる前のスタンダード白黒作品はどれを見ても、なにかいいところがある。私はそう思ってきた。高峰秀子の魅力は、そのなかに、その芯のようにある。そして、地味になるほど輝く。強い。メイクの下の、撮られていない素顔を、いざとなると感じさせる。そういう強さ。とても控えめで小さな運動だとしても、フィクションの枠を踏み外すところがある強さだ。

しかし、木下惠介作品の高峰秀子には、ちょっと首をかしげたくなる。そこにはつながっていく線がない。この役をやって、次にこの役、という積み重ねとは反対の、期待の裏切り方になっている気がする。オーラはある。しかし、微妙に、高峰秀子らしい強さの出るところがない。どうしてそうなるのか。木下惠介の作家としての「展開」のわかりにくさが、ここにも影を投げている。

二人のコンビ作品は、日本初のカラー劇映画であった『カルメン故郷に帰る』（一九五一）からである。フィルモグラフィーを追うと、高峰秀子はそれをやってからパリで半年をすごし、アメリカ経由で戻ったあと、一九五二年のうちに、五所平之助の『朝の波紋』や成瀬巳喜男の『稲妻』などに出て、それから『カルメン純情す』をやった。

「カルメン」二作はまず、どちらも技法への冒険的意欲がつよく出ている。筋としてもおもしろいところはある。しかし、戦後社会への風刺喜劇としては勘所がよくわからない。結局、カルメンを戦後社会の無垢な被害者にした上で救おうとしていることになるだろうか。大まじめに言うが、この時期の高峰秀子から賢さを奪ってどうするのだということがまずある。このカルメンは快活だとしても、強くない。そして、致命的に乗れないなと思うのは、歌と踊りの、リズム感の悪さだ。たんに音楽的にそうだという以上のことを言いたい。映画のリズム、それはショットのつなぎ方とある種の不健全さがつくる呼吸に乗ってくるものだ。木下惠介はそれがわかっていないはずはないが、わざとそれを使わない。まじめだからか。松竹だからか。どちらでもなくて、停滞する土壌的なものへの独特の狙い方があるのだ。結果として、とくに『カルメン故郷に帰る』のいくつかの場面で、高峰秀子は島耕二の『銀座カンカン娘』（一九四九）の自分自身にも負けている。

『女の園』（一九五四）は、学生だった大島渚がこの作品を見て映画監督になることにしたという伝説が残っているが、私はまったく買わない。「戦後」のなかに残る「戦前」に抵抗する女子学生たちを描いた映画である。しかし、その描き方に「戦後」が足りない。大枠を言えばこうだが、なかでも神経症的になって泣いてばかりいる高峰秀子の役がいやである。高峰秀子のいいところを全部使わせないとどうなるか。それを見たかったのだろうか。木下惠介ってわからない。

『二十四の瞳』（一九五四）は、私は何度も見ている作品である。日本のマスメディアが戦争を思い出す夏にこの作品の上映会をやって、トークをしたこともある。作品としていいと思っているからではなく、この作品が日本人の観客をどう引きつけたのかを考えたかったからである。近年に見なおして、冒頭の、高峰秀子が自転車に乗って学校に行くところは、やはり彼女の魅力が爆発していると思った。映画としての躍動感があるのはそこまで。教室の場面になると子どもたちの演技がわざとらしくて、もう停滞する。そこからあとの、驚くほどの平板さ。時代的な常識へのひねくれた態度が一気に消えて、わかりやすさへとすべっていく。それこそが、木下惠介のわかりにくさの最たるところではないか。

ようやく成瀬巳喜男作品の高峰秀子を語るところまできた。『秀子の車掌さん』（一九四一）は何度見たかわからない。アイドル時代のデコちゃんを見たいという以上に、バス会社の社長役勝見庸太郎の怪演技が飽きないからである。

成瀬巳喜男も、むずかしい。彼の作品がどういいのか。それをうまく言い当てられない。「淡々と」「繊細」「効率」「女性的」とかで何を言ったことになるだろうか。技術分析的な批評の課題のひとつがここにある。それを解いた先に、この世界のほんとうの怖さを覗かされるという気がする。

『めし』（一九五一）と『おかあさん』（一九五二）で「低迷」を抜け出したとされる。きれいごとになりそうなものを、どうしたらそうじゃなくできるか。狙いの線のひとつはそれで、脚本家たちの功績もあると思うが、用意された脚本からセリフも含めて不要だと思うものを抜いていく。何が残るのか。簡潔さだ。そのなかでリアリズムと、その反対のことを同時にやる。『めし』では原節子の疲労をとらえた。リアルな人間にした。小津作品でも黒澤作品でも見たことのない原節子だった。それだけでも十分におもしろかった。

『稲妻』（一九五二）はこの二本のあとの作品であり、どのショットもさりげなくいいという感じがきわまっている。高峰秀子の清子が次姉の三浦光子に付いてその亡くなった亭主の妾のところに行き、腹を立てるところなど、何回見てもおもしろい。妾役の中北千枝子もすごくいい。成瀬巳喜男の簡潔さは、いい演技、魅力ある演技を引き出す。環境から抜け出したい清子が動いて、東京の東の下町から西の山の手へと舞台が移る。甘さがあるとしたら山の手のきれいさだが、その装置のなかに姉や母が来て、文句なしにいい演技の出る場面をつくる。高峰秀子の存在としての魅力と演技力があわさって、これ以上はないというくらいに結実している。そのことが清子の「成長」という物語的内容と、完全に同期するのだ。

『浮雲』の高峰秀子と森雅之。演技ということでは、見ていて苛立たしくなるほどやりきっているというものだ。装置的に考えると、甘えの入りようのない戦後社会の底辺的な現実として見えているものと、女にだらしない森雅之の冷たさと勝手さが、二段攻撃という感じで、高峰秀子をたえず素顔のリアリズムに突き落とす。そこでなおしっかりと生きて、女性としての魅力を発揮しろ。そういう注文。高峰秀子はそれに見事に応えている。

このあとの成瀬・高峰コンビ作品では、『流れる』（一九五六）と『あらくれ』（一九五七）がいい。どちらも『おかあさん』『浮雲』とおなじく、水木洋子の脚本作品。彼女に成瀬作品をもっと書いてもらいたかった。

新文芸坐の高峰秀子特集上映で『放浪記』（一九六二）を見なおした。高峰秀子はやりたいようにやったということか。メイクで顔を不美人につくり、肩の落ちた妙な姿勢で歩く。当然、林芙美子がモデルなので、そこにひっくり返しはありえない。いい人、わるい人、本当の人間はどっちでもない、というようなドラマが、冷たく言えば、実はリアリズムの行き場もふさいでいる。

太宰治の考えた「とんでもないシンデレラ姫」。この女優はそれをやるとおもしろい、と彼は見抜いたのだ。大枠でそうじゃなくても、素顔のリアリズムから美貌へのひっくり返しを日常の小さな起伏のなかに仕掛けている作品。高峰秀子はそういうのがよかったとあらためて思った。

作家のあこがれたもの　映画『そこのみにて光輝く』

映画『そこのみにて光輝く』を最初に見たのは、去年（二〇一三年）の十一月のことで、いまから四か月前である。佐藤泰志という人間に対して、私以上に「理解」の深い妻と一緒に見た。これはいい。クレジットが出る直前の、なつかしい彼の手書き文字によるタイトルがまだつよく残っているときに、どちらからともなくそう呟いていたと思う。「これなら、泰志くんが見たらすごくよろこぶよ」と妻は言った。

私たちは二人とも、熊切和嘉監督の『海炭市叙景』（二〇一〇）にはのれなかった。「佐藤泰志はこんなんじゃない」という感じ方で一致した。私はきびしい批評を書いた。これには後日談がある。あとで小説を大学の授業で学生たちと読み返したときに、映画への私の不満は原作にまったく責任のないことでもないと考えるようになった。だからといって、その不満が解消するわけではない。慎重に言わないといけないところだが、佐藤泰志のいいところが出ていないと感じていることに変わりはない。

稲塚秀孝監督のドキュメンタリー『書くことの重さ　作家佐藤泰志』には、もっと腹立たしい気持ちが湧いた。当事者が語っても、ドラマで再現されても、「事実」が無残に一面だけを切り取られている。私自身も出てきて、なにか言っている。当惑した。取り返しのつかないような、いやな気分が残った。

ついでに言っておけば、この作家について語られたものを読んで、納得できないと感じることが多い。それは、賞を取れなかったという「不遇」が強調されることに対してだけではない。文学をやるということが、どんな快楽と危険をかかえこむのか。それが見えてこない。あるいは見えたとしても、佐藤泰志の固有性とは関係ない一般論だ。安全な場所から過去形で話題にしているだけである。悪い意味でのジャーナリズムということになるか。『書くことの重さ』でいちばんマシなのは、堀江敏幸が自分の身にてらして「書くこと」の大変さを言うところだ。あそこには、ジャーナリズムを超えているものがあった。

映画『そこのみにて光輝く』は、私のなかに募っていた鬱憤をはらしてくれるものになった。これこそが佐藤泰志だと思ったし、同時に文学に負けていないものがあると感じた。呉美保監督も、脚本の高田亮も、撮影の近藤龍人も、いい仕事をしている。綾野剛たち、演技陣の充実も勘定に入れると、これほどの巡り合わせは、最近の日本映画ではなかなかおこらない気がする。撮影所システムのない現在、綾野剛の起用によってもたらされたものが大きいと思うが、『海炭市叙景』を作った態勢がこういうふうに「次」を呼び込んだことに妙を感じる。

個人的なことを言うと、私は高田亮とは一九九〇年代からのつきあいである。彼の監督した『人間狩り』（二〇〇二）という自主映画をベストテンに選んだことがあるし、実現しなかった作品の脚本を一緒に書いていたこともある。前田弘二監督と組んだ一連の仕事で頭角をあらわした彼が、これをやった。佐藤泰志のことを彼と話したことはなかったけれど、彼がやると聞いたとき、彼には資質的にこの小説家をよく理解するものがあると思った。その予想は的中した。人間のつながりのふしぎさを感じるが、彼と呉美保による「翻案」はどう動かしても佐藤泰志が出るという「つかみ」ができている。

かなり勝手な推測だけど、資質ということでは、熊切和嘉にも佐藤泰志に通じるものがあると考える。どういうところかというと、まわりを困惑させるほどの、人へのやさしさと、それをひっくり返したような「暴力」への志向が同居していることだ。高田亮にもそれがある。たとえば、荒井晴彦にはそんなところはない。山下敦弘にもないだろう。私にもない。妙な並べ方で申しわけないが、第一に、私たちはそんなに人がよくないのである。資質という言葉は、吉本隆明がよく使った。便利すぎる言葉であり、資質からどう逃れるか、資質をどう始末するかを課題としない表現者はいないだろう。『海炭市叙景』の原作は、資質から逃れようとする佐藤泰志が浅い「類型」に捕まったというきらいがある。それが人物を魅力的にしていない。熊切作品はそれをバラしてしまった。いまの私の感じ方ではそうである。

『そこのみにて光輝く』の原作については、文庫版の解説で、私は言えることはだいたい言った。そこに書かなかったことを言うとすれば、まず何度読んでも、ヒロインの千夏に父親の性欲の「処理」をさせるのはどうかと思う。「処理」ではなく「愛」だというなら話は別だが、父親がそこまで恵まれなくてはならない理由がわからない。

ここで純文学というものへの私の「偏見」を言いたくなる。一九七〇年代以降、極限的な実験や冒険を放棄した純文学にとって、通俗小説とはちがうかたちでの通俗性をいかに持つかという課題が大きくせりあがっていたと思っている。中上健次も、両村上も、新手の高級ポルノという部分をもつ小説を書いて成功したのである。一九八〇年代半ばに書かれた『そこのみにて光輝く』も、一面において、佐藤泰志の、遅ればせながらのそういう試みであり、映画から受けとっているものが大きかったはずだ。彼自身の体験的な故郷と日本型ポルノ映画の故郷が出会う。千夏の「性処理」はそのことの、いささか露悪的なオーヴァーランではないかと当時も思ったし、いまもそう思っている。

映画は、これなしでもやれたと思う。千夏にこれがあるのとバランスをとるように、達夫のほうには、山で人を死なせたというトラウマを持たせた。それほどのことがなくても、人はだめになることができる。そうやってもよかったと思う。座談会での荒井晴彦の意見に賛成するところである。達夫も、千夏も、まともに生きる意欲を失っているのはとくに具体的な因果によるのではないとしたほうが、それぞれのマイナスに、質としての奥行をあたえることができただろう。そして、千夏の「女性」がどう男を惹きつけるのかをもっと出してもよかった。

しかし、以上の異論は、いわば「筋」を読んでいるだけだ。そうした危うさをかかえながら、『そこのみにて光輝く』は小説も映画も十分に魅力的である。

これにかぎらず、佐藤泰志の小説は、「筋」としてはなぜそうなるのかよくわからないところがある。恋愛も、友情も、三角関係も、日常的なアクションも、風景も、簡単に説明できる主題に仕えるものになっていない。確かなことは、未知のものに出会うことの不安と興奮がそのすべてに滲み出ていることだ。大枠で言ってしまえば、佐藤泰志が書く生活で感じていた快楽と危険がそんなふうに「翻訳」されているのでもある。

映画『そこのみにて光輝く』は、綾野剛の下半身から上半身をゆっくりとナメるショットからはじまる。ほとんど彼の肉体に入っていくようなこの視線に移入して、観客はこの達夫に出会うのである。達夫が拓児と千夏に出会う前に、これがおかれている。小説からの変更の第一歩であり、達夫が見る山の夢とともに、この映画のやることを決めている。

この導入からの二時間。呉美保監督の仕事はどういいのだろう。人物と人物のあいだに生みだされるものが、細部の「平凡さ」のなかで、人を動かす力になっていく。それを取り逃がしていない。とくに、後景に老天使的な火野正平の松本をおいて、菅田将暉の拓児のイノセンスに話を展開させるというファンタジー的な側面。それを詩的に活かしている。ざらつくアジアを感じさせる画面は、ある部分ではロー・イエの『スプリング・フィーバー』(二〇〇九)を思い起こさせる。しかし、ロー・イエとは文学の言葉へのつきあい方が対照的だ。感心していいのかどうか。ヒロインが池脇千鶴だからそうなのかとも思うが、デリケートになりすぎないところが独特で、映画というジャンルの身ぶりとして収まりがついている。

　綾野剛の達夫は、小説の達夫よりも強くて、いい男だ。行動するよりも見られる存在になっているかもしれない。小説の映画化としてうまくいったという以上に、そして佐藤泰志の感じていた快楽と危険を裏切っていないという以上に、とにかくこの作家があこがれたのはこういう男だったと納得させるものがあった。

ベストワン、『笹の墓標』

私は映画の監督もして批評も書いている。

実作者の気持ちからすると、批評家や新聞記者が毎年選ぶベストテンなど、いい気なものだと思わずにいられないところがある。しかし、実は、私は二十年以上ずっと「映画芸術」という雑誌のベストテンに参加している。権威に弱い映画関係者に敢然と対抗したい気持ちも当然ある。それ以上に、自分が心からいいと思う作品を上位に挙げることによろこびがあるのだ。一九五〇年代後半のフランスに登場したヌーヴェルヴァーグというのは、この感じ方から始まったと思う。ゴダールもベストテンをやっていた。だから、私も辞めない。

ここからが本題である。私のベストテンで、二〇一〇年の第一位は『アメリカ──戦争する国の人びと』であり、二〇一三年の第一位は『笹の墓標』である。

二〇一〇年三月のある日、見るべきだという直感から、まる一日を費やして八時間を超える長さの『アメリカ──戦争する国の人びと』を見た。

これまでのドキュメンタリー映画の技法を最初から問いなおすような大きな作り方で、人間と世界をとらえていた。少なくとも二つの世界大戦のあと、つまり二十世紀の後半以降、まともな理性・感性の持ち主なら、やってはいけないとわかるはずの戦争を、なぜ人間はいつまでもやめないのか。まず、この問いである。藤本幸久監督たちの表現はここからスタートして、戦争をやってしまう愚かさのシステムに牛耳られているアメリカを「批判」するのであるが、ストレートにそうするのではない。そこにいる人々に出会っている。人々の皮膚に接している。これだと私は思った。これが映画だと思った。

わが国は亀井文夫、土本典昭、小川紳介、原一男、佐藤真といったビッグネームをはじめとして、さまざまのドキュメンタリー映画の作家たちを輩出してきた。近年はフィルムよりもDVで撮るのが主流になり、ここでも作品の数が増えているが、注目すべき動きは、大きくふたつあると思う。素材対象を一方的に撮るのではなく、素材対象とともに作っていくという方向。そして、素材対象を作者自身とその周囲にかぎって、いわゆる「自分探し」をする方向である。

藤本作品は、対象とともに作るという方向である。作者の「自分」を無理に押し出さない。しかし「自分」を見せないのではない。対象の語る言葉と映像をしっかりとつかみ、その内側から生まれるものに出会う。既存の見方をなぞらない、編集の小細工もない、大きく能動的な「構成」によって、そうするのだ。その作り方にこそ作者がいて、ここまでのドキュメンタリー映画の歩みを踏まえながら、自然体で呼吸しているという感じがする。

藤本幸久・影山あさ子共同監督による『笹の墓標』は五章に分かれ、全部で九時間九分もある。第二次大戦期の強制連行・強制労働によって生命を奪われた朝鮮人の遺骨を発掘する「東アジア共同ワークショップ」の活動と、そこに起こる人々の出会いを追っている。人間と人間が出会う。現実の次元でそこから生まれるものがある。さらにそれを映画にすることで生まれるものがある。私はまったく退屈しなかった。

朝鮮半島と日本の関係は、簡単には手をつけられないような問題に取り囲まれてきた。『笹の墓標』について第一に讃えるべきことは、いままでの表現・物語・議論の枠を超える視野をそこにひらいていることだ。素朴な言い方をすると、こういう題材でこんなふうに未来へと向かう力を感じさせるものはなかったと思う。そうなるための、五章の構成であり、長さなのである。

存在としての魅力をもった人たちがたくさん出てくる。とくに、日本語と韓国語のできる在日コリアンが人間としてどんな可能性をもっているかということが、とても気持ちよく見えてくる。その可能性は、事情に詳しい人の目にはちがった受け取り方をされるかもしれない。しかし、これはすごいことである。

どうなるかわからないからこそ作る意味があるというドキュメンタリー映画であるが、一九九七年から二〇一二年までの時間の流れを、ワークショップに参加した若者たちがたくましく生き抜いて、撮るべき内容をもたらしてくれる。この作品のためにそうしているわけでないだろうが、それを落ち着いて受けとめる作り方ができるのが藤本監督たちだ。

そして、この大長篇の最終章で待っているのは、こんなにいいかたちでまとまっていいのかと驚くほどの、未来につながる「帰結」である。この作品に関わった人たち、そしてそこまでこの作品を見てきた人たちへの、すばらしい贈り物になっている。

二〇一三年の日本映画。私の『あるいは佐々木ユキ』もあり、会心作だという自負もある。それは脇において、見たかぎりで言うのだが、話題になった作品は、結果の決まったゴールに駆け込んでいるだけの、発見のないものが多い。もちろん、いい映画もあった。見逃している人が多いと思うので書いておくが、劇映画では、斎藤久志監督の『なにもこわいことはない』と小林政広監督の『日本の悲劇』がよかった。ドキュメンタリーでは、三上智恵監督の『標的の村』もよかった。

しかし、いちばん発見があると感じたのは『笹の墓標』である。朝鮮半島と日本の関係に新しい視野をひらく画期的な作品。この九時間九分につきあえる余裕を、できるだけ多くの人に持ってもらいたいと願う。

アピチャッポンとともに

いままでになかったような映画を見たいし、作りたい。まず、これ。そして、そういう欲望を映画史のここまでとどう対話させるか。それが次に来る。具体的に私が「見たい」のほうで追跡してきて、そして「作りたい」のほうでも刺激を受けとってきた作り手として、ペドロ・コスタ、ワン・ビン、アピチャッポン・ウィーラセタクンがいる。

この三人は何をやっているのか。映画史の初期に息づいていたものを取り返しながら未知へと踏みだしている。この三人のなかで私の場所からいちばん興味があって連絡をつけられると感じるのは、アピチャッポンである。

ただ連絡をつけるのではなく、むしろ迂回しながら歩く。アピチャッポンとともに、あるいは彼の表現にいろんなことをつなぎながら。映画にかぎらず、表現を「評価する」よりも大事なこととして、それを「役立てる」がある。ジル・ドゥルーズに習ったことだ。アピチャッポンの表現を「役立てる」。私はこんなふうにやっているよ、という文章にこれがなるといいのだが。

記憶を整理してみて驚いた。私がアピチャッポンを知ってから五年ほどにしかならない。最初の出会いは、『ブンミおじさんの森』（二〇一〇）。私は二〇一〇年の夏に『わたしたちの夏』（二〇一一）という作品の撮影をした。その直後、仕上げにとりかかる前に『ブンミおじさんの森』を見た。遠慮なしに言うが、私も『わたしたちの夏』で森を撮っていた。タイトルからわかるように、ジャン＝リュック・ゴダールの『アワー・ミュージック』（二〇〇四）を、敬意と反発半分ずつで意識していた企画である。ゴダールがそこで作った「彼岸」はこの世のものの、あるいは二十世紀に起こったことの、奇妙なダイジェスト的回想にすぎない面があった。そこに踏み込んだヒロインは帰ってくることができない。私はそれに対して、生への帰還可能な、死者のいる場所としての、二十一世紀の森を考えた。森との境界に天使的な存在をおき、森に入り込んだヒロインには携帯電話を持たせて生還できるようにした。目覚めてもまだ見ている夢。森にはそんな構造をあたえながら、ヒロインを戻れないままにはしない。行かせっぱなしのゴダールに対してそういう勝負を挑んだのである。行く。行って帰る。

しかし、アピチャッポンの森はそれ以上のものだった。行き来できる、なのであり、知的な操作など無関係な回路が「無」のなかをドカーンと横切っていた。それを見たことで『わたしたちの夏』は動いたと思う。前衛的なもの、実験的なものをどう着地させるかという課題から、私は当時もいまも逃れられない。しかし、『ブンミおじさんの森』はその課題の先にあるものを示していた。表現はマンガ的になっていい。この世界の向こう側にあるものと私たちの心の奥の奥にあるものがつながればいい。そのつながりを、映画以外にはとらえられないものとして、つかまえる。いや、つかまってしまえばいいのだ。アピチャッポンから受けとった「もっと気楽に！」の中身は、そういうことだったと、いまは思う。

『ブンミおじさんの森』のとき以上に私がノックアウトされたのは、二〇一二年一月から二月にかけての、吉祥寺バウスシアターでの特集上映。『真昼の不思議な物体』（二〇〇〇）、『ブリスフリー・ユアーズ』（二〇〇二）、『トロピカル・マラディ』（二〇〇四）をつづけて見た。

撮影したままにしてあった『あるいは佐々木ユキ』（二〇一三）の編集に入ろうとしているときだった。人物が演技以前の作業をしているところを入れるのが私はもともと好きなのだが、そのことを後押ししてくれるように感じた。ワン・ビン作品との相乗作用だったかもしれない。『あるいは佐々木ユキ』には、二人の娘がテーブルでカルタをするシーンがある。フィックスのワンショットで撮っていた。それをできるだけ切らずにほぼ丸ごと使った。『ブリスフリー・ユアーズ』を見ていてとくに思ったことだが、アピチャッポン作品には「人間のする行為でつまらないものなどない」という感じ方が独特にある。つよく言ってしまえば、それが方法をこえる方法になっている。西欧型の物語とはちがう地平を用意している要素のひとつである。

まったくの偶然なのだが、自分の作品の編集をする時期にアピチャッポン作品と出会う。冒険が足りないと打ちのめされる一方で、励まされる。映画編集のルール的なものに縛られない方向へというだけではなく、誤解をおそれずに言えば、ほとんど退行的な、無防備なまともさへとも誘いだされる。最近も、私は『秋の理由』（二〇一六）の仕上げに時間がかかっていた。そのあいだに『世紀の光』（二〇〇六）と『光りの墓』（二〇一五）を見た。直接にヒントを受けたという箇所はないつもりである。しかし、アピチャッポン作品を二本見たというのがどこかで作用している。それを望んだ自分がいたことを否定しない。

『世紀の光』は、反復的要素をもつ二部構成で、前半が植物の緑に囲まれた地方の病院、後半は近代的な白い病院、と舞台が変わる。前半に出ていた俳優が後半では違う役を演じたりする。アピチャッポンは「前半は私の母であり、後半は私の父です。しばしば繰り返しがあるのは、私の輪廻に対する考えを反映しています」とインタビューで語っている。

「昼と夜、男性性と女性性」という二重性からはじまった企画であるが、最終的にはそのコントラストはそれほどつよく出さなかったとも言う。まあそうなのだろうが、同じように前半と後半が変わる『ブリスフリー・ユアーズ』と『トロピカル・マラディ』に比べると、ラフさの魅力が足りない気もする。

しかし、人物たちの、演技を感じさせないアクションや歌も含む言葉から立ちのぼるものと、整備された音と映像の、いわば二乗的になる関係の微妙さが、スリルを生みだしている。作者による作品構成の恣意性に加担しながら、同時に恣意性に終わらないものを要求する人物たちであり、そういうアクションや言葉なのである。なぜ彼や彼女はそこに配置されているのか。病院が舞台であれば、ありそうな現実だが、それだけじゃない。さまざまの症候があると同時に、それを癒す力もはたらいているカオス的な世界にかれらは生きている。それを言うために、だ。

しかし、それは結局、かれらがただ生きている、存在しているという以上のことではない。アピチャッポンは暗喩や寓話性やミスティフィケーションへの回路を封じて、見えているもの、語られていることを、それだけのもの、それだけのことにする。感覚的に言うと、そこに線が引かれている。タイトルにある「世紀」を意識して言えば、過去から現在へとつらぬく時間に照応しながら、あえて厚みや密度をもたない線である。その線の交錯が、まるで風を通すように構成の恣意性を突きくずすのである。

アピチャッポンは『世紀の光』を撮る前に、デヴィッド・リンチの『マルホランド・ドライブ』(二〇〇四)を見たのだろうか。アピチャッポンの線は、リンチの霧を必要としない。考えてみると、最近の中国映画の大きな収穫、ディアオ・イーナンの『薄氷の殺人』(二〇一四)とビー・ガンの『凱里ブルース』(二〇一五)も霧につつまれることで密度を獲得しながら、時間の流れ方のふしぎな、解決のないカオスをアピチャッポン的な線によって通過するという側面をもっていた。

私はここまで、アピチャッポンの作品世界における、彼岸と現世、過去と現在、そして魂と肉体のあいだの、たがいに癒されるべきものと癒す力をもつという相互性のことを触れずにきた。『メコンホテル』(二〇一二)から私がとくに感じとったことだが、『光りの墓』はその相互性がさらに大きく太く、交差的に張りめぐらされていると思う。中心にあるのは、「眠り病」の兵士のひとりイットと、イットの世話をする中年女性ジェンのあいだにおこる相互性。かつて学校だった仮設病院が舞台で、ジェンはボランティアとしてそこに来ている。眠る兵士たちの魂と交信できる若い女性ケンとも親しくなる。そこにも相互性がおこるが、その相互性とは魂と肉体、あるいは過去と現在のあいだを行き来する生命の力なのでもある。

ジェンがすばらしい。ふと思ったのだが、ジェンの出ている場面は表現としての、腰の低さが際立っている。私が注目してきた城定秀夫やいまおかしんじの低予算作品の、一作ごとの、善でも悪でもない心の置き方の「発見」に通じるものがある気がするが、どうだろう。城定作品の解決、いまおか作品の未解決、どちらもこの世界のなにかに抗している。そしてなにかをバカにしていない。アピチャッポンがジェンとのあいだに生みだしてきた「態度」もそういうものではないか。

アピチャッポンの病棟は、ワン・ビンの『収容病棟』(二〇一四)のそれとも、ペドロ・コスタの『ホース・マネー』(二〇一五)のそれともちがう。現実の記録でも歴史の圧縮でもなく、息苦しさなしに時空の両面で遠近さまざまな「外」とつながっている。それぞれの「外」の根底には悪夢的な悲惨さが隠されているが、それは暗示されるのではない。あるいは、目覚めているときのイットとジェンがすごす、周囲に人々がいる現在。その普通さ。普通さのままで、夢のような感触をもつ。

圧巻なのは、イットの魂の乗り移ったケンがジェンを消えてしまった王宮に案内するシークェンス。最後に、イットであるケンがジェンの傷ついた右足を愛撫する。ここへ来たかった。だれのものでなく、相互性そのものとなった心の奥の奥にある願いが実現されていると思った。ここではアピチャッポンの反暗喩的な線がそれ以上のものになろうとするのだが、ラストのジェンの見ひらかれた目はそのことへの切り返しにもなっている。

「生きる」と「夢見る」を同時に体験する。どちらかに行くのでも帰るのでもない。行き来する。見る者にとっても、作る者にとっても、映画の体験とはそれなのだ。

そうかなあ

追悼・室野井洋子

室野井洋子さんのことは、妻と私はいつも「室野井さん」と呼んできた。わざわざこう言うのは、「洋子さん」や「洋子ちゃん」になってもよかったのに、という気持ちがあるからだ。パートナーの高橋幾郎さんは「高橋さん」。室野井さんが亡くなってから、高橋さんをこれからは「幾郎さん」と呼びたいと二人で一度ならず話したが、なかなかそうならない。癖をつけたいので、この文章では彼を「幾郎さん」にする。

こう書いているうちにも、室野井さん、幾郎さん、妻と私の四人で、あるいはそれにだれか加わって、一緒に飲んだ場面の数々が、よみがえってくる。楽しかった。お酒も食べ物もおいしかった。ことにこの数年、私たちは札幌に行くのを大きな楽しみにしていた。半分は室野井さんたちと飲めるからだった。

そういうとき、室野井さんと私がすごく気心が通じていたかというと、そうでもない。気が合わないとか、よく言い合いをしたというほどではない。どちらかと言うと、私の言うことに対して、彼女は「そうかなあ」と納得できなさそうな表情をしていた印象が強い。私に対してだけではなく、いろんなことに「そうかなあ」という顔を見せた人だ。いつでもそうだったというわけではない。茶目っ気の何歩か手前の笑顔の記憶もちゃんとある。でも、「そうかなあ」となることが多かった。人の調子に乗ったおしゃべりがいやだったのだと思う。場がうるさくなっていると、そこに身はおいていても、室野井さんという存在はいなくなっていた。彼女自身は静かにゆっくりと語った。クールで、カッコよかった。

妻は、この六月、室野井さんの具合が深刻になってから二度札幌に行き、彼女のそばで時間をすごした。私はそれができなかった。私が室野井さんに最後に会ったのは四月、彼女と幾郎さんが山梨でのパフォーマンスからの帰りに、国立のわが家に来たときだ。碧衣スイミングちゃんにも来てもらって、五人で飲んだ。室野井さんは疲れている様子だった。いまから思えば、それは並の「疲れている」じゃなかったはずだ。そこまで感じとれなかったのがくやしい。アルコールが入ってしばらくすると、彼女は彼女らしいカッコよさを取りもどし、妻の料理をおいしそうに食べた。なんのことだったかおぼえていないけど、いつもの彼女らしい、ちょっと皮肉な言い方も出た。クールさ、それに疲労感が重なっていただろうが、いつもの室野井さんだと思ってしまった。

私たちが出会ったのは、一九八六年か八七年あたりだろうか。妻と私が参加していた「野口整体」の「動法」という体の動かし方を学ぶ会に、室野井さんは現われた。ということは、遠目に見てもよく目立つ、その体のふしぎな印象を入り口にして、彼女を知ったのだ。

一九九五年の春には私の映画『急にたどりついてしまう』に出演してもらうことになるが、そこまでのこと、どう書いたらいいか。彼女の踊りをはじめはいいとは思わなかった。見る人への態度に、高級な生意気さというか、文学で私が反発するか始末しようとしていたものに近いものがある気がした。でも、最初の最初から、彼女の立ち方、ただ立っているだけでその体が発しているものは、圧倒的にすばらしかった。

『急にたどりついてしまう』を撮る前の年の秋だったと思う。夜の井の頭公園で室野井さんと田中敏くんのパフォーマンスがあった。私はそれに立ち会って感動しながら、この室野井さんを撮るだけで映画が一本できるな、と思った。

そのころ、私は、学生時代に撮った作品以来、二十何年も撮っていなくて、長篇映画を撮りたいのにどうやって尺（長さ）を埋めたらいいのか、まったく自信がなかった。室野井さんに出てもらえば、映画を作れる。そんな気になった。

『急にたどりついてしまう』の室野井さんの出演場面は、応援してくれた監督や助監督たちの助けをあまり借りずに、室野井さんと小西泰正カメラマンと三人で作ったという気持ちがある。実際はエキストラの配置をはじめとして助けられたところがほかのシーンよりも多いくらいだが、気持ちはそうだった。室野井さんは、前日にひとりで撮影場所の国分寺跡を下見するなど、入念な準備をしてくれた。小西さんも、のっていた。考えてみると、私はほとんど何もしていない。二人がやってくれるのを、そうだ、それでいいと、監督として撮影の現場にいることの大変さから解き放たれるように、うなずいているだけだったかもしれない。

『急にたどりついてしまう』は、当時ピンク映画で注目すべき作品を連発していた瀬々敬久とサトウトシキが司令官的にバックアップしてくれた。この二人と佐藤寿保、佐野和宏は「四天王」と呼ばれ、かれらの作品はその「作家性」でファンを引きつけながら、興行側からは煙たがられていた。一九九六年、私は『ピンク・ヌーヴェルヴァーグ』というタイトルの、この四人についての論とインタビューの本を、ワイズ出版というところから出した。

室野井さんがその編集をした。編集者としての彼女と仕事をしたのはこのときだけだ。その仕事ぶりは緻密で、手抜かりがなかった。それだけでなく、こちらの書くのが遅れに遅れたときにとくに感じたことだが、書く者へのやさしさがあった。それは表現者への敬意ということでもあって、監督たちと接するときも、いい感じだった。なにしろ、スティール写真入りのフィルモグラフィーに『ロリータ・バイブ責め』とか『痴漢わいせつ覗き』とか『ぐしょ濡れ全身愛撫』というタイトルが並ぶ本である。これを女性の室野井さんが臆することなく担当してくれたことが、私と監督たちはうれしかった。

妻と私は一九九八年の九月から一年間、UKのウェールズ、その首都カーディフで暮らした。一九九九年七月、ちょうどフランスにいた室野井さんが私たちのところにやってきた。一週間くらい、一緒にすごした。後にも先にもなかったことだ。

カーディフで親しくなっていた詩人やアーティストに協力してもらって前もって準備し、室野井さんの公演を二回やった。そのうちの一回は室野井さんが踊ったあとに、彼女と私とデイヴィッド・グリーンスレイドという詩人でトークをやった。そのときの室野井さんの踊りだけでなく、会場の下見をしたときや一緒に舞台に立ったときのことも、記憶にはっきり残っている。室野井さんは、リハーサルをしない。公演のひとつひとつが一回かぎりでやれることをやりきるという真剣勝負なのだ。朝起きて夜眠るという生活時間の流れのなかで、勝負のときをどう迎えるのか。それを間近で見た。緊張を共有して、些細なことで言い合いもした。

踊りだすと彼女は鳥になった。黒の衣装から露わになっているその肩甲骨に翼が生えていた。協力者のひとり、年季をつんだ女性のダンサーが彼女の踊りに感動しているのがわかった。公演のあと、そのダンサーとパートナーの住むアパートで、みんなで飲んだ。

デイヴィッド・グリーンスレイドは宮沢賢治が好きで、日本でお坊さんの修行もしたことがあるという「日本通」だった。ある午後、私たちは彼の家に行き、彼の提案から庭で盆踊りをやった。室野井さんの盆踊り。そのときの写真が残っている。室野井さんも私たちも羽目をはずしてはしゃいでいる。

ここで話が十年以上飛ぶ。二〇一〇年の夏、私は『わたしたちの夏』という映画を撮った。シナリオで「天使的存在A」とした役を室野井さんにやってもらった。撮影の日、彼女は札幌からやってきたが、国立駅に着いたのは午後四時すぎ。そこから日が落ちるまでに出演シーンのすべてを一気に撮った。あの世の入り口に立っている存在だ、とだけ私は言った。彼女はそれ以上の説明を求めなかった。わかってくれていると私は確信した。彼女を撮るだけで映画が一本できると思ったことがあったのを思い出していた。

見てくれた人は同意してくれると思うが、圧巻だったのは金網の前の彼女をとらえたショット。固定カメラで胸から上を撮った。テストで、彼女の姿が画面から大きくはずれた。鈴木一博カメラマンが彼女の動いていい範囲を示した。ほとんど動けない。ほとんど動かずに踊ってくれという注文なのだ。室野井さんと鈴木カメラマンのたたかいという様相になった。テストはもうしないで、本番。一発オーケーで決まった。

編集の過程で、このショットについて思ったことをここに書く。これはジャンヌに負けていない。カール・ドライヤーの『裁かるるジャンヌ』（一九二七）のルネ・ファルコネッティに負けていない。何度もそう思ったし、いまもそう思う。

「そうかなあ」と室野井さんが笑っている。

室野井洋子（一九五八〜二〇一七）

ダンサー・編集者。一九八五年よりソロ・ダンス活動。日本および海外各地で公演とワークショップをおこなう。身体の動きの研究もする。遺稿集に『ダンサーは消える』（二〇一八年、新宿書房）ほか。

私の映画史

恋愛映画10本（外国映画篇）

バス停留所	ジョシュア・ローガン	一九五六年
太陽はひとりぼっち	ミケランジェロ・アントニオーニ	一九六二年
ピアニストを撃て	フランソワ・トリュフォー	一九六二年
ママと娼婦	ジャン・ユスターシュ	一九七三年
髪結いの亭主	パトリス・ルコント	一九九〇年
ギターはもう聞こえない	フィリップ・ガレル	一九九一年
奇跡の海	ラース・フォン・トリアー	一九九六年
ブエノスアイレス	ウォン・カーウァイ	一九九七年
トーク・トゥ・ハー	ペドロ・アルモドバル	二〇〇二年

気まぐれな唇　ホン・サンス　二〇〇二年

恋愛映画。わからないな、という気もする。

とくに、いかにも仕組まれているようにハッピーエンドになったり、悲しい別れになったりする恋愛を描いた作品をどう語ったらいいのか。穿った見方をすると、物語の解体度と信憑性の問題があるだけではないかと思えてくる。そして、この世界が恋愛だけを焦点としてはいないように、物語の嘘を抜き去ってゆくと、あるところで恋愛だけを焦点とした映画は成立しなくなる。しかし、恋愛映画は存在する。どんなにいいかげんに物語を語っても、観客の欲望そのものを受けとめる装置となっていればいいのだ。映画の初期、スターたちが登場して以来、発展してきた単純なフォーマットがあるのだ。

選ばなかった作品だが、何度か見ても飽きなかったピーター・チャンの『ラヴソング』（一九九六）に対して、何から疑うべきなのか。正直なところ、途方に暮れる。

まず、一九五〇年代のハリウッド映画を棄てることにした。理由は、恋愛映画の宝庫でありすぎて、きりがないから。

でも、一本だけでもと思いなおした。マリリン・モンロー主演の『バス停留所』。これは、恋愛を見せるのではなく、モンローと大きくて素朴な田舎としてのアメリカを見せているだけかもしれない。ウイリアム・インジの戯曲が原作で、ジョシュア・ローガンも元は舞台の演出家だった。演劇的なものが映画として活きる。それはモンローが映画女優以外のなにものでもないからだろうが、よけいなものが完璧に取り除かれてすっきりしていて、そこに「純情の勝利」へと単純で太い線がしっかり引かれている。なにもこの作品だけがもつ美点ではないだろうが、それがいい。

そして、ヴィスコンティも、ロッセリーニも、フェリーニも、ベルイマンも、ゴダールも、なにかちがうなあという感じがして、残ったのがアントニオーニ。

「愛の不毛」を描いたことになっているが、要するに、男と女の関係がうまく行かないところに現代社会の歪みを見ようとしたにすぎない。『情事』（一九六〇）の、モニカ・ヴィッティが浮気した男の肩に手をおくラスト。その許し方がたまらくなくいいとずっと思ってきた。しかし、ここでは住む世界のちがう男と女が出会って自分にないものを求めあう『太陽はひとりぼっち』の単純さを買うことにした。日蝕で暗くなる世界のドキュメンタリー的表現で「終末」を暗示するラストも、単純なアイディアから生まれている。アントニオーニは、一面でものすごく単純な発想をしていたと思う。フェリーニのような体温がないからこそ、『夜』（一九六一）のラストのように、地面の上ではげしく抱きあう人間を夢見たのだ。

トリュフォーも、いったんは選ばないことにした。やはり宝庫でありすぎるのと、実はフェティッシュがあるだけで、人間の実質的な関係を求めなかったという気がするから。もっと言うと、それこそが私たちが映画（のなかの異性）を見ている普通の態度であって、その感受性の動きは当たり前という以上のものではない。

しかし、時代的な必然とともに平板化・希薄化を免れない要素への、陰影のつけ方に巧みさがあった。いわば互いの不幸な過去を意識させる口説き方のような。そうだ、『ピアニストを撃て』はよかった、あれこそが愛の映画だったと思いなおした。

ジャン・ユスターシュとフィリップ・ガレルは、映画への欲望と女性への欲望の混同・交錯から手ひどい復讐を受けた映画青年なのだと思う。

二人とも、嘘を拒む姿勢とあっけらかんとした強引さに乖離がある。映画が好きだということから始まって、文化的にざわめく都会の空気のなかをさまよい、壊れた女に出会い、自分も壊れてしまった。何のなれはてであるにせよ、傷ついた人生。ある意味で、メロドラマの登場人物になる以外には救われないのだ。ユスターシュは自殺した。ガレルは、過去を引きずりながら生きのびて、もう相当に空っぽなのかもしれないが、世界がきのうとはちがって見えてくる恢復期の視線を保持している。

『髪結いの亭主』は、ルコント作品のなかでも特別な激しさをもっている。子供のころからの夢が実現するという愛。その愛の日々の先に、その愛のために起こること。人生とエロスに対して決定的な一発を決めているという感じだ。アンナ・ガリエラの演じたヒロインの像とオーラはいつまでも残るだろう。彼女を失った男は、ひとりで踊っているしかない。そういう人生もあると思った。

『奇跡の海』の、全身麻痺となった男への愛のために村の男たちと次々に関係をもつヒロインも、強烈に残る。極端な物語で、ラース・フォン・トリアーのわかりにくい「意図」につきあわされていると思うと嫌気もさすが、やってくれるとは思った。愛と信仰が折りかさなったところに生まれる妄想にしたがって行動する者の純粋さ。だれもそれを否定できない。神がそれを祝福する。この愛は確かにわたしたちに挑んでいる。

ウォン・カーウァイは、『欲望の翼』（一九九〇）以来、アメリカで撮った新作『マイ・ブルーベリー・ナイツ』（二〇〇七）まで、ずっと愛の映画を作ってきたといえる。まさに宝庫。そのなかで、ゲイカップルを描いた『ブエノスアイレス』が、恋愛ゲームの残酷さをいちばんリアルに浮き上がらせている。恋の思い出。劇的なことの終わったあとの人生。その空虚さのなかにも生きる意味はあるのだという後半の展開がよかった。

アルモドバルは、初期の作品からは信じられないほどの起伏をもったメロドラマの語り手になってきた。ただの変態趣味じゃないし、高級化して変態趣味の清算をするのでもない。『トーク・トゥ・ハー』のロマンティックな感触と意外な角度からのリアリティのつくり方は、反抗や異端の「神話」が崩れ去った現在の先へと進もうとしている。端的に言って、性的歪みと人間的まじめさの組み合わせ方が絶妙だと思う。

あと一本。アキ・カウリスマキの『過去のない男』（二〇〇二）とどちらにするか迷った末に、ホン・サンスの『気まぐれな唇』を選ぶことにした。冴えない男の、ストーカーまがいの普通の恋。力を抜いた感じの、当たり前の感受性の動きで、平凡な風景のなかに凹凸と鮮度をもった表現を生みだしている。

イ・チャンドンの『オアシス』(二〇〇二)という破格の愛の映画もあったが、韓流映画はいまやさまざまな仕掛けの恋愛映画の宝庫になっているかもしれない。そのなかで、ホン・サンスはなんとなく元気がないというまともさで光っている。

ここまできて、さまざまに劇をつくる愛の地図をひとまわりした末に、普通でいい、普通がいちばん煽情的なのだという場所へ戻ったような気がする。

心に残る、珠玉の10本

〔邦画〕

たそがれ酒場	内田吐夢	一九五五年
州崎パラダイス・赤信号	川島雄三	一九五六年
青春残酷物語	大島渚	一九六〇年
ならず者	石井輝男	一九六四年
刺青一代	鈴木清順	一九六五年

清作の妻　増村保造　一九六五年
情事の履歴書　若松孝二　一九六五年
餌　向井寛　一九六六年
㊙湯の町・夜のひとで　渡辺護　一九七〇年
少女情婦　高橋伴明　一九八〇年

ピンク映画四本を下から押し込んだら、シネマテーク的な場所で見た巨匠たちの作品、小津『浮草物語』、溝口『浪華悲歌』、黒澤『白痴』、成瀬『浮雲』が飛び出てしまった。居直るようだが、この場合、作品の芸術としての価値以上に、同時代的に映画館で見たそのときの気持ちがはっきりとよみがえってくることが大事だと思った。とくに映画に熱中しだした高校生のころに「発見」した作品は、忘れられない。私は、こういうところから歩みだした。一九六〇年代までの日本があって、そのなかで成長した。それを思うと心が熱くなってくる。『たそがれ酒場』については、「人物の描写に底の浅さがあり、感傷に堕しすぎている」という滋野辰彦の批判がある。ここに並べた作品のほとんどに当てはまる批判かもしれない。だとしても、その感傷には深い根拠があると言いたい。私がついに始末できないのはノスタルジーではない。勝たない心の美しさへのあこがれだ。

［洋画］

女と男のいる鋪道	ジャン＝リュック・ゴダール　一九六二年
血	ペドロ・コスタ　一九八九年
青の稲妻	ジャ・ジャンクー　二〇〇二年
ストレンジャー・ザン・パラダイス	ジム・ジャームッシュ　一九八四年
オール・アバウト・マイ・マザー	ペドロ・アルモドバル　一九九九年
愛・アマチュア	ハル・ハートリー　一九九四年
道	フェデリコ・フェリーニ　一九五四年
エル・スール	ビクトル・エリセ　一九八三年
憂鬱な楽園	ホウ・シャオシェン　一九九六年
闇に響く声	マイケル・カーティス　一九五八年

まず、ジャン＝リュック・ゴダール。彼の初期作品だけで十本選んでしまおうと思ったほどである。高校一年のとき、シネマ新宿で『女と男のいる鋪道』を見たのが、最初のゴダール体験。太宰治に夢中だった文学少年の季節が終わり、8ミリカメラで撮る自分の映画を構想しながら、ゴダールと、当時やはり私のヒーローとなった若松孝二の、未見の作品に思いこがれる日々が、それからつづいた。それまでは、エルヴィス・プレスリーの歌入り映画とジェリー・ルイスの喜

劇を見るのが大きな楽しみだった。かれらと共演した可愛いスターレットたちの姿こそは、文句なしに心に残っている。そういう作品の代表として、音楽的にも充実している『闇に響く声』を入れた。そうだ、こういう選出は「告白」の機会なのである。とくに『道』と『エル・スール』と『憂鬱な楽園』が好きだということは、私にとって、重大な愛の告白をしているのとおなじだという気がしてきた。

青春映画10本（外国映画篇）

アデュー・フィリピーヌ	ジャック・ロジエ	一九六一年	仏
土曜の夜と日曜の朝	カレル・ライス	一九六〇年	英
嵐の季節	フィリップ・ダン	一九六一年	米
草原の輝き	エリア・カザン	一九六一年	米
ラスト・ショー	ピーター・ボグダノヴィッチ	一九七一年	米
途方に暮れる三人の夜	グレッグ・アラキ	一九八七年	米
トラスト・ミー	ハル・ハートリー	一九九〇年	米
欲望の翼	ウォン・カーウァイ	一九九〇年	香港

牯嶺街（クーリンチェ）少年殺人事件　エドワード・ヤン　一九九一年　台湾

一瞬の夢　ジャ・ジャンクー　一九九七年　中国

青春映画といえば、かつての日本では、石坂洋次郎であり、日活であり、先進的な気分をもつヒロインが封建的な「田舎」で騒動をおこすのである。そこで右往左往する大人たちは、ただ醜かったり、意外に好人物だったりするが、自分が年をとってみると、あの大人たちの、問題を予測できない甘さが、わからない。ついでに、戦後民主主義への希望を託された問題児たちの夢も、いまでは寒々とした老いのなかに萎んだのが見えている。

というようなことを、まず思ったが、その一方で、期待的に考えたのは、青春映画とは、男性の私にとって、単純に、若い女優の魅力を中心においた映画のことであり、そうだとしたら、それはいまなお生命を保っている、ということである。

そして、そういう映画の楽しさを、私は何よりも、ニューシネマ以前のアメリカ映画とジャン＝リュック・ゴダールの初期作品で知った。

そうなのであるが、ゴダール作品は今回も入れないことにした。『勝手にしやがれ』（一九五九）も、『はなればなれに』（一九六四）も、『男性・女性』（一九六六）も、登場人物は青春の時間を生きている。愚行があり、人生もある。現実があり、物語もある。けれども、たぶん異化効果によって、人物が自分や自分のしたことを恥ずかしいと感じる余地が追いだされている。

そうだった。青春は、恥ずかしいのである。

作品としても、青春映画は何度か見返しているうちに、それに引きつけられた自分が恥ずかしくなってくることがある。それでも、それをいいと思った、そういうことが確かにあったという事実を素直に認めるしかないだろう。

同時代的に映画館で見た作品だけを選びたいと思っているが、『アデュー・フィリピーヌ』は例外。最近になってやっとＤＶＤで見た。兵役に徴集される十九歳の男と、彼を追う二人の娘の、出会いから別れまでの、けっして戻ってこない時間を、魅惑的な存在感をもって生きぬいている。作品が、そうなのだ。これを何度でもくりかえし見ることができるというのは、あってはならないことのような気さえするが、すべてのショットを暗記したくなった。ゴダール作品とちがうのは、これを映画として作っているという作者の「自意識」が見えないことだ。「能天気」と書いて「かなしい」とルビをふりたいものが、ここにはある。これに比べたら、ほかの青春映画はあざとい作者の計算が透けて見える。そういう決定的な一本。

一九六〇年前後、フランスのヌーヴェルヴァーグ、アメリカのビート、日本のゼンガクレンとともに新しい世代の登場を告げたイギリスの「怒れる若者たち」。その映画の拠点となったウッドフォール・フィルムこそは、リアリズムにピカレスク的反抗を呼び入れた青春映画の宝庫である。トニー・リチャードソンの監督した『蜜の味』(一九六一)、『長距離走者の孤独』(一九六二)、『トム・ジョーンズの華麗な冒険』(一九六三)を入れない理由が、とくにあるわけではないけれど、ここでは彼が製作にまわった『土曜の夜と日曜の朝』を選んだ。

カレル・ライスの演出にはいくつか注文を出したいくらいだが、私が誘惑された青春の物語の原型がそこにあるのだ。不良性のある若者が、最初は年上の人妻とつきあいながら、若い娘との関係のなかに「人生のはじまり」を見出す。大島渚の『青春残酷物語』（一九六〇）も、向井寛の『餌』（一九六六）もそのパターンで、悲劇的な破局に向かう。アルバート・フィニーの演じた『土曜の夜と日曜の朝』の主人公は破滅とも改心とも無縁に、ふてぶてしく生きのびる。原作・脚本のアラン・シリトーはこの主人公が嫌いだ、と言ったと伝えられる。いまは、それもわかる気がする。シリトーの小説も、いまではあまり読まれなくなった。彼の『Start in Life（華麗なる門出）』こそは、青春小説のベストワンだ。

青春前期、わたしが熱心に追ったエルヴィス・プレスリーの主演映画はドン・シーゲルの撮った『燃える平原児』（一九六〇）とアン・マーグレットと共演した『ラスベガス万才』（一九六三）くらいしか、普通はまともな批評を受けていないだろう。しかし、五〇年代の白黒作品『監獄ロック』（一九五七）と『闇に響く声』（一九五八）が、環境的なハンデを負った若者がスターになる話としてふしぎな味をもち、さらに、『嵐の季節』は、なんと戯曲『レフティを待ちながら』などで三〇年代のアメリカ演劇界の風雲児だったクリフォード・オデッツの脚本で、前科者プレスリーが三人の女のあいだを憂鬱そうにウロウロする。知性と教養あふれる精神科医のオバサン、純真な処女、そして子連れの出戻り娘。やはり「女性体験」の原型的な物語が見え、出戻り娘のチューズデイ・ウェルドが不幸を背負いながら悩ましく輝く。

『草原の輝き』は、新宿の日活名画座で何度も見た。若さゆえの愚かさとそれに対する悔恨を描く定番中の定番であり、もうあまり見たいと思わないが、目をつむると、ハッとするほど美しいナタリー・ウッドが簡単にはセックスできない古い青春のせつなさと大恐慌のころのアメリカの空気とともによみがえってくる。ウィリアム・インジの原作・脚本は『ロミオとジュリエット』を意識しているが、見せる力の一方で、論理的には混乱する、いかにもエリア・カザンらしい特徴も。

朝鮮戦争のころのアメリカの田舎町を舞台にした『ラスト・ショー』についても、いまは複雑な思いだ。ラリー・マクマートリーの原作・脚本。その通俗的な文学をそのまま映画にしてしまったボグダノヴィッチの、古い映画を模倣したスタイルは、ある意味で完璧である。最初に見たときは、自分もまだ青春のドタバタのなかにあって、身につまされた。いわばゴダールから遠くはなれた、鳥肌立つような恥ずかしい場面が連続する。まあ、批評的にはどうなるにせよ、生意気な美少女シビル・シェパードの愚かさ、見棄てられていた人妻クロリス・リーチマンの怒り、過去のロマンスを胸に秘めるベン・ジョンソンのシブさなど、やはりいつまでも残る。近いところの例では、ラッセ・ハルストレムの『ギルバート・グレイプ』（一九九三）のいくつかの構成要素と同様に。

『途方に暮れる三人の夜』は、16ミリのラフな白黒映像の、ゴダール・マニア的なインディーズ作品として愛着があるばかりでなく、男ふたりと女ひとりの「三人」の物語の、いちばん寒い場所に達したものだと思う。カップルの外にいる男は、カップルの彼女ではなく、彼のほうをゲイ的に慕う。この三人がひとつのベッドに入ってぬくもりを分かちあい、傷つけあいもする。だれも、いい気になっていない。『突然炎のごとく』（一九六一）のジャンヌ・モローを「もっとも愛すべき女性」だなんてけっして言わせないものが、そこにあった。

『トラスト・ミー』は、ヒロインを演じるエイドリアン・シェリーの魅力のなかに、甘くかつ苦い青春の果実がつまっている。マーティン・ドノヴァンは、ぼんやり気味の、その柄の大きさがいいのかどうか、よくわからない。そして、親子問題以外には凝縮点をつくれそうにないハートリーの思いつき的ストーリーラインだが、低予算映画の自由さのなかに、とにかく、求めあう孤独な二人の心を息づかせている。

『欲望の翼』のレスリー・チャンも、実の母親のことが心にかかっている。もしかしたら人物がだれかの息子や娘であるしかないところにとどまっているのが、青春映画の王道かもしれない。『欲望の翼』は、偶然の出会いを組み合わせた物語構成が、いわばご都合主義の先へと大きく伸びていく。一九六〇年という設定で、レスリー・チャンの役の虚無的な心が真ん中にあって、すべてが不幸の側へ引きずられる。その暗さの質が新しかった。

『牯嶺街（クーリンチェ）少年殺人事件』も、一九六〇年代の設定。エドワード・ヤンやホウ・シャオシェン（『恋恋風塵』（一九八七）を最後のところで落としたが、これも深い理由はないとしておこう）は、私より少し上だが、ほぼ同時代の、アメリカ文化の影響下にあるアジア的青春を生きたのだ。エドワード・ヤンのこの長い作品は、実際の事件と自身の体験から、いわば少年少女たちの大河ドラマを織り上げている。私はプレスリーに憧れたことをはじめとして、人物たちと共有するものをもつ。見た直後に、「自分もあの少女が好きになり、あの少女を殺したかもしれない」と書いた気がする。

アジア的青春。恥ずかしくて、暗い。でも、プレスリーの歌から採った「A Brighter Summer Day」というのが、ヤン作品の英語題名だ。暗い土壌のなかで夢見られた光。青春映画の踏まえるべき基本がひとつ見えている。

そして、ジャ・ジャンクーがアジア的青春の、新しい輝きをもった語り手として登場する。16ミリで撮られた『一瞬の夢』は、ある意味で『アデュー・フィリピーヌ』と同じくらい作為を感じさせない。開放政策の下で荒廃する中国の地方都市を舞台に、スリで生きる主人公小武の「いま」を追ってゆく。あるがままの現実。それを突き抜ける奇跡的な夢。ひとりの娘との明日を思った。その夢が砕かれる結末。小武は害虫だと言われ、電柱に手錠でつながれ、人々の見世物になって、動けない。この絶望は、深い。

そうして青春が終わり、作品も終わる。その先につづく時間にむかって、何をあたえることができるか。欧米からアジアへ、一九六〇年代から二十世紀の終わり近くの『一瞬の夢』までをたどったところで、そういう勝負のしかたがあると思った。

画期的な溝口健二論　木下千花著『溝口健二論　映画の美学と政治学』（法政大学出版局刊）

六百ページ以上ある大部の本。こんなにおもしろい映画研究、いままでにあっただろうかと唸らせる記述にみちている。

まず、溝口健二をめぐる事実の実証的追求が見事である。評伝をめざしているわけではないが、わかることは知って役に立てるという態度が貫かれている。効率よく資料にあたりながら、安易に定説に与しない。同時代の証言や先行する批評への敬意の一方で、それらに呼び戻し的スウィングをかけるのを忘れていない。本書の土台は、シカゴ大学大学院に提出した英語による博士論文だそうだ。アメリカでなされてきた研究の成果をよく吸収している。日本文化、日本映画がどう特異なのか。診断的な視点の設定は、文化研究の基礎のそなわったアメリカのほうが得意なのだ。その紹介は紹介として、著者木下千花はこれにも気合い負けしていない。

「間メディア性」という用語が出てくる。ちがうジャンル、ちがうメディアが「接触し、混淆し、浸蝕し合うことによって」起こる事態を指す。それを繰り込んで考えることで、映画がその初期から発展してきた過程が立体化する。溝口健二という存在が日本の近代に作用した、どういう力の相克の「結節点」となったのかも、鮮明になる。「本書が試みるのは間メディア美学としての溝口論である」と言う。軽く聞こえるかもしれないが、そうであることで作品史に即して拾いあげている収穫がたくさんある。それがカッコいい。

実は、「美学」とともに副題におかれている「政治学」の独特さと威力に鮮度がある。端的な例をあげると、「溝口健二ほど徹底して、執拗に、女性の交換を介した権力関係のダイナミクスを描き続けた映画作家はいない」。物語と演技と画面をただの映画通の手で撫でる批評からは出てこない指摘だ。

ここにある「政治学」は、状況と表現の関係を語るという以上のものである。溝口健二の演出（本書では「ミザンセヌ」とルビが振られる）における選択と不可避性の交点をたどって、作家論や作品論に収斂しない「世界批判」へとにじりよる。映画学とは、どういう全体を相手にすべきなのか。溝口作品への愛をおきざりにすることなく、その全体を大きくかつ緻密につかまえている。

たとえば、一九三〇年代のトーキー化をとりかこんだ状況について、本書のように、全体的な見取図とともにひとりの映画作家にとってのその意義を解明した例を、私は他に知らない。戦争期、占領期、ポスト占領期を生き抜いた溝口健二の、それぞれの局面での「どう女性を描いたか」を、従来注目されてこなかった作品群も対象にして、回路を入りくませながらスリリングに論じる。そこに必ず現在からの目がある。個々の作品論に立ち入る余裕はないが、とくに目覚ましいのは「妊娠の身体」についてだ。「欲望と贈与交換の主体たらんとする女性」がそれをもつことで「受動性を発現する」という着目。そして、「受動的なイメージの領域」の両義性にこそ溝口映画の「魅惑」があるとする。溝口作品の技法的トレードマークたる縦構図の長回しでの、「ショット内モンタージュ」というべき効果の分析も、図像を用いて過不足ない。

よく言われる溝口健二のリアリズムとはどういうものか。「抽象的な理念が剝き出しになった『ありそうもない』内容を、ほとんど幾何学的といってよい空間構成と、綿密な演出から匂い立つ情緒と、そして俳優の語りの力によって有無を言わせず納得させることである」という説明で切り抜けているが、これは少し食い足りない気もした。人物の一部に授けられる「見抜く力」のリアリズムが、そういう方法に先行するのではないか。

それはともかく、この著者の言い抜く力は圧倒的だ。『シネマ』のドゥルーズにも怯んでいない箇所があり、愉快だった。映画、女性、日本。複層的視点からつねに明快に語り、結果として溝口健二をよろこばせている本だ。

第三部　文学

世界文学のなかの中原中也　中原中也の會講演

この講演の話を三月にいただいたあと、友人で二十四年前に自殺した小説家佐藤泰志のことをこの二十四年間書こうとしても書けなくて、でもやっぱり書かなくてはということで、四月、五月、六月と佐藤泰志について書いて過ごし、それから七月、八月は旅行をしていました。佐藤泰志のことを考え直した三か月と旅行した二か月をくぐり抜けて、いま、中原中也にあらためてすごく新鮮な気持ちで出会っているというところです。

佐藤泰志という作家は、文学的感受性が鋭く、わがままで、ずるくて、いじましい。最近になって彼の作品が映画化されたりして、世の中で注目をあびていますが、そういう彼とつきあってしまうと、何でも佐藤泰志に結びつけてしまうところがあって、中原中也でも太宰治でも石川啄木でも、評伝的なものを読んでいると、みんな佐藤泰志に重なってしまう。みんな佐藤泰志的だな、という感じになるんです。

それと同時に、自分がなにかを読んでいるとき、佐藤泰志とともに読むという感じで、それが読み方としてはかえってまともだと感じられる。佐藤泰志でなくてもいいのかもしれない。ぼくらの世代にはある部分そういうところがあって、自分ひとりで読むんじゃなくて、世代、あるいは友人と一緒に読むということがあるのかなと思っています。

まず、フランスの哲学者ジル・ドゥルーズの言ったことを思い出しておきたいです。哲学の歴史のなかで哲学をやろうとすると、もう哲学者はたくさんいて、そのなかで押しつぶされてしまう。何か自分で考えて言おうとしても大変すぎる。それでも「自分はこうだ」と言いたくなる。そうなるのが人間なんだとしたうえで、でも簡単に「一個の自我だ、人格だ、主体だ」と、そういうふうに思い込んでみても、「みずからの名において語ることにはならない」。要するに、文学でも表現でも、いままで積み重ねられてきたものがあって、それはどこか人間を抑圧する。押しつぶす。「おまえ、シェイクスピアも読んでいなくて演劇のこと語るのか」とか「朔太郎のことも知らないで詩やっているの」とか、どんどん話が行きますよね。こういうふうに来るものに対して当然はね返すべきなんだけど、ではどうはね返すのかということがあると思うんです。

ドゥルーズはこんなふうに言っています。結局、人間は自分の固有性というのを、自分で「私はこうだ」となかなか作れない。自分のなかに抱えこんでいる自分じゃないものを、「個人を突き抜ける多様体」という言葉をドゥルーズは使っていますが、複数性と言ってもいい、そういうものを自分に入れていくことで、ある意味では自分をどんどんいろんなものに対して消していくことで残る自分。あるいは出来上がっていく自分。この自分がいま、中也にむかって何をするかということです。

同時に、中原中也をつかまえるという意味で、中原中也もそういうふうになっているということがあります。中也もひとりで中原中也だと言っているのではなくて、中也のなかに彼が意識的かつ無意識的に抱えこんでいるいろんな要素があると思うんですけど、それで出来上がっている、あるいは出来上がりつつある、あるいはいまもまだ更新されながら中原中也になっていく部分、そういうものに出会えるといいかなと思っています。これはそれほど難しく考えることではなくて、どんな人間も自分のなかに自分じゃない要素を抱えこんで自分が出来上がっている。そこを意識するのが、文学者あるいは文学の表現と出会うというときの態度としていいかなと、そう感じています。

ぼくは吉本さんを読んで一時はカブレたけど、最近はなんとか文句つけたいなと思っている。イギリス文学やりました、やっても全然、日本の英文学界とかに何の貢献もしていない（笑）、これどうなってるのとか、いろんなふうに感じます。そういうことがあわさって、ここで福間健二として語るということをやろうとしているわけです。

そこからして、中原中也をスターにしている要素というのは夭折であるとか、心情を率直に表現しているとか、いろんな面があるけれども、そうではないような要素。中原中也はスターになっているけど、スターになっていない部分、スターになるのとちがうように働いている部分に注目するのがいいかなと思います。

そこで考えるのは、要するに、中原中也は自分で意識していろんな仕事をしているんだけれど、彼が意識しないで出会っていたり、触れていたり、届いていたりする、そういう外の部分に出会うにはどうしたらいいか。そういう部分に出会ってみよう。そう考えて、思い切ってテーマを「世界文学のなかの中原中也」としてみたわけです。

世界文学という言葉。けっこう普通に使っていますよね。「世界文学全集」もあるし、これは世界文学で考えても相当な水準に達しているとか、みんな適当に使うけれど、厳密に考えると、世界文学って何なのか、本当はよくわからない。日本文学なんてまだ貧しいんだよね、日本文学なんてまだまだたいしたことないんだよね、スケールも小さいし、シェイクスピアやディケンズ、ドストエフスキー、そういう世界文学の巨匠たちに比べたら、日本文学の作家なんかたいしたことない、詩人たちもたいしたことないというように、日本文学のコンプレックスの側から世界文学というものを考えるということがあったと思うんです。それとは反対のところで、日本文学の閉じこもっている部分を開いていくとしたらどういうふうに開けるか。そういうところで世界文学というのを考えてみようと思っています。

篠田一士の中也論

篠田一士の「傍役の詩人中原中也」（一九五九年）は、わりとボロクソに言われながらも、いつまでも残っている文章で、中原中也を研究している人は必ずどこかで出会うような文章ですね。

篠田一士はぼくが身近に接した英文学上の恩師で、彼の著書を全部読んでいるかどうか自信はないんですけど、この人がどういう人だったか、けっこうわかっているつもりです。篠田さんという人は世界文学という視点で文学を考えなきゃいけないと言った人ですが、外国文学研究者のなかでは外国コンプレックスがないタイプでした。アルゼンチンの作家ボルヘスを最初に紹介した人ですが、ボルヘスを特別に偉いというのではなくて、ボルヘスを身近な存在として面白さを語ることができるようなタイプでした。

その篠田さんが、中原中也を「傍役」、本当の意味では日本で作るべき詩的言語を中原中也は作らなかったんだ、という結論に達するような意見を言ったわけです。「世界文学のなかの中原中也」というタイトルをぼくが考えたきっかけは、無意識にこの篠田さんと中原中也をもう一回出会い直させる、というのもあったかと思います。

実は、中原中也は中原中也で、当時のヨーロッパ文学を吸収したときに歪みがあったと思われます。そしてまた篠田一士のように、勉強して大学の先生になって、外国の一流の文芸批評家、文学研究に接した人でさえも、なおやはりそこには歪みがあって、歪みと歪みが出会っていたんじゃないかと考えています。

今日の話の主要な部分ですけど、篠田一士という人について言うと、日本の近代文学というのは明治時代からはじまりますけど、その近代文学は、イギリスやドイツだったらロマン主義、フランスの場合はその先の象徴主義へと展開していくような十九世紀ヨーロッパ文学に触れたわけですね。でも、同時に時間がどんどん経って二十世紀になっていくから、一方では二十世紀の当時の現代文学がはじまっていく。十九世紀という時間があって、ヨーロッパでは世紀末があって、第一次世界大戦があって、詩について言えば、そのあとが現代詩ですよね。二十世紀の詩、あるいは第一次大戦後の詩、それがヨーロッパの現代詩です。

十九世紀的なものをまだ吸収しながら、でも、それをやっているうちに二十世紀も入ってくる。そこで大変な感じになる。わりと幼稚な誤解を持ったりする文学者が多かったでしょう。中原中也について言うと、実はヴェルレーヌとダダイズムくらいしか大きく受けとめたものはないと思います。そうすると、本当はわりとスッキリしていて、十九世紀はヴェルレーヌ、二十世紀はダダイズム。十九世紀文学をどう壊すかという二十世紀文学の一面から言えば、方向が逆だったかもしれませんが、中也は意外と要領のいい吸収をしたのかなという面もあります。中也は、それほど勉強しているわけじゃない。どこかでカンのよさがあって、スパッと新しいことに抜けていくような感じ。十九世紀でも二十世紀でも簡単に要点をつかんだという部分はあるでしょう。

だから篠田さんみたいに勉強すると、中原中也に対して、ダダイズムをちょっとかじったぐらいで、二十世紀の新しい文学はこうなっていくんだと思っちゃ困るよ、と言いたくなりますよね。ヨーロッパでは十九世紀だけではなくて、それまでの長い歴史があって、その厚みや奥行きに匹敵するような詩的言語や文学が構築されてきた。戦前なら萩原朔太郎、戦後だったら吉岡実と田村隆一は相当やっていると、篠田さんの現代詩理解はそうなるのですが、十分に二十世紀、あるいは現代、さらに言えば第二次世界大戦後の文学に通じながら、どこかで新しいものの表面的な受け入れ方に嫌悪感を持っている。感受性の次元でも、天沢退二郎や蓮實重彦とかに別に驚きたくないというような。もっと重厚なもの、十九世紀までの、あるいは象徴主義までの詩的言語観から抜け出せないものがあった。

吉田健一も英文学者ですが、ちゃんと日本文学について発言することができて、文芸時評もやり、そこで大岡信の詩を富永太郎以来の感心した詩とか言った。ぼく自身も英文学者だった時期もあるので、それが簡単なことじゃないことがわかる。篠田さんはそれ以上です。十何年も毎月の文芸誌を読んで新聞に書く文芸時評をやり、そのなかで詩を取り上げることがけっこう頻繁にあった。彼の文芸時評は『創造の現場から』という本になっていますが、その現場性のなかで、文学というのは、詩が本当は中心にあって、小説だけを論じている批評はダメだということを実践している。でも、どこかでうまく二十世紀、現代、とくにW・H・オーデン以降をつかみきれていなかったところがあるのかなというのが、ぼくの感じてきたことです。篠田さんは、明治以降の日本の近代文学というような、戦前のある時期までの小説に対していい仕事をして、わりと短い六十年くらいの生涯を終えられました。

それでは、篠田さんが考えたような詩的言語、そして、その詩的言語の根拠となるような世界文学というのをどういうふうに考えることができるのか。

吉本隆明の中也論――フォークとユニヴァーサル

ぼくらの世代では、世界文学は人気がなかったんですね。ただ、明日は池澤夏樹さんが講演をされますが、ご自分で「世界文学全集」を編集できるような人なので、ああいう人も同世代にはいるので簡単には言えないんですけど。同世代ではないですが、ぼくの身近には、ドイツ文学者でもあった菅谷規矩雄さんという詩人がいて、ある批評で、世界文学なんてものはないんだと言った。自分の国の文学、その土壌を掘り下げる以外に文学と出会うことはできないんだと。ただそれは、菅谷規矩雄さんの独創ではなくて、その頃みんなが感じていたことで、日本のなかの民俗性を探っていくみたいなことが六〇年代後半の、俗に言う「嵐の季節」のなかで、とても強かったと思うんです。

今回、中也について吉本隆明さんが触れた文章を探して、『吉本隆明歳時記』(一九七七)という本を見つけました。「春の章」に中原中也のことが出てきます。後のほうに、稲川方人さんたち、同時代の詩人たちを扱った「諸詩人」という文章があって、そういう諸詩人の詩が詩としての根拠を失っていることについて、「新古今」の藤原定家を出して論じているんです。吉本さんがこういう言葉を使っているのでちょっとびっくりしたんですけど、ワールドポエム、ではなくて「ユニバーサルポエム」。「世界詩」にそうルビをふっている。世界詩がユニバーサルポエムで、これが中国だと漢詩。それに対して定家なんかの和歌は民俗詩でフォークポエム。吉本さんは、ユニバーサルポエムはちゃんとやっていけるけど、フォークポエムはすぐ追いつめられて薄っぺらなものになってしまうとして、その「不可避的な相違」ということを言っています。

そういう意味で考えると、そのフォークのほうではね、ぼくたちは相当まじめに考えた時期がある。本当に自分たちの、この日本の文化の根を掘り下げるという、そういうことのなかからしか創造的な文学は生まれない、とまで考えた部分があったんです。では、そのフォークというのはどういうものか。たとえば詩だったら清水昶さんとか、小説だったら中上健次が出てくる背景というのは、そういう面があったと思うんです。ただ、その民族の根みたいなものというのは、下手をすると江藤淳が「血と土に根ざしていない詩」はダメだと言ったみたいな、民族主義的感じ方にもなります。フォークというのは確かにすごく生命力があるけれど、どこかで簡単には人に通じていかなくなる部分がある。

このフォークという言葉で言うと、音楽でフォークミュージックという段階が素朴な良い部分を持っているのに、それがポピュラーミュージックというものになって骨抜きにされるとか言われました。フォークの段階があって、ポピュラーっていう言い方があって、それとの重なりと違いをもってユニヴァーサルがある。最近はこれにグローバルとかいろいろ言われていて、わけがわからない。そういうふうに考えて、ある意味フォークの力が大事だというときに、そんなにまじめになることではなくて、フォークをどこからだって持ってきたっていいだろうと。フォーク対ユニヴァーサルにしないで、フォークを殺さないユニヴァーサルを考えるということになるでしょうか。これが実はさっき言わなかったもうひとつのぼくの姿勢をつくっていて、ぼくはロックミュージックにずっと凝ってきました。

ロックミュージックは最初、アメリカにいるアフリカ系アメリカ人の音楽を活かしてきたんですけど、そのフォーク性が弱まってしまうと、いろんなところから持ってくるわけですよ。ジャマイカのレゲエとか、プエルトリコのサルサとか、またさらに思い切りアフリカを掘り返してヒップホップになるとか。フォークを固定的に考えて、自分の中のドメスティックな部分に限ってまじめに掘り下げる必要はない。でも、フォークの力、フォークを殺さないこと、あるいはフォークをどのようにつかみなおすかは、つねに大事なんじゃないかと思っています。

中原中也はこのフォークに対してどう考えていたか。そんなにまじめにやっているわけではないけど、それが出てしまうタイプだったと思います。無意識のうちに、古いものを始末できないというくらいの感じでそれが出てくる。それは、ある意味ではいい加減さと紙一重のところもあるんですけど、面白い存在ではあったと思います。

一方、イギリスの詩人たち、とりあえずここで考えたい詩人たちは、ぼくが大学二年生とか三年生のときに日本の戦後詩に出会うのと同時に出会って、熱中した詩人たちです。かれらは、英語で書いているからなのか、イギリスという局面の性格のせいなのか、けっこうユニヴァーサルな面を持っている。フォークの部分も残して、そうだということです。

いま、外国へ行って詩の話をするときに、エリオットの話とかオーデンの話とかディラン・トマスの話、どんな国の詩人でもするんじゃないかなという感じです。さかのぼってランボーとかもそういうことあるけど、かれらのユニヴァーサルな面と、中也がどこかで新しさへ抜けようとしながらも抱えていたフォーク、あるいはその古いもの、それがどんなふうにつながってくるかということを考えたいと思うんです。

ぼくがやりたいのは、中也が本当はこっそりエリオットを知っていたとか、そういう話ではなく、また、表現の上でこういう見えやすい類似点があるという、そういう話でもない。そうではなくて、中也について自分はこういうふうに読む、イギリスの詩についてこういうふうに読むという、そういうことで中也とイギリスの詩人がどこかで出会う。中也のこういう部分が引き出される、イギリスの詩人のこういう部分が引き出される、それがあってもちろんいいんですけど、そうでなくても、中也でもなくてイギリスの詩人でもなくて、いままで意識しなかった詩の可能性みたいなものが見えてくると面白いと思います。

中也の詩を映画として見る

十九世紀と二十世紀というと、映画で考えてみると、映画というのは二十世紀の芸術なんですね。一八九五年ぐらいに発明されて、表現としては一九〇〇年からはじまる、本当に二十世紀の申し子みたいなものなんです。劇映画としての映画が発展して、この二十世紀芸術の申し子である映画は、ある意味で十九世紀的物語の逃げ場所となりました。文学としてやったらもうこれは古くさい物語になるんだけど、映画という装置の中に入っていくと、メロドラマでも何でも表現としてある形をとる。これを極端化すると、たとえばドイツの表現主義になる。

つまり二十世紀というのは、いろんな形で十九世紀という時間に繰り込まれる。あるいは、十九世紀まであったものをどう生きのびさせるか、ということで二十世紀も当然存在しているわけなんです。映画は本当にある意味で、黒澤明とか溝口健二くらいまでは、その十九世紀的物語が映画の生きている表現として到達地点に行くまでを一面でやった。でも、別な観点からすれば、そういう物語の映画でしかない。しかし、それを超えた表現があるのではないか。

二十世紀のジョイスやカフカが出てきた文学からの、あるいは現代詩の発展から考えた映画というのは、実は小津安二郎とか、イタリアのネオリアリズムとか、ヌーヴェルヴァーグとか、そういう形で物語性、あるいは主題、メッセージ性に従属しないような表現が出てきて、ようやくそこから、十九世紀を吸収いろんなことをやった二十世紀の映画が本来的なものになる。ここが映画史では面白いところで、それがちょうど戦前と戦後、第二次世界大戦を挟むように展開しますから、わかりやすくて面白いところなんですけどね。

現代詩では、そういうことがどうなっているのか。ぼくは中也の詩こそ、まるで映画のように十九世紀の要素の逃げ場所になりながら二十世紀になっていたと思います。さきほど「いま、中也は現代詩人じゃない」と佐々木幹郎さんが挨拶で言われました。「えっ」と思ったんですけど。現代詩人だとした中也に十九世紀的なものがいろんなふうに入り込んできて、それは単にうしろから引っぱっていることではないんだ、というところへ持っていきたいなと、ついつい先回りして言ってしまうと(笑)、このあとどういうことを言うかわかると思うんですけど。

中也ではまず「サーカス」と「春の夜」に、ぼくは注目しているんです。もちろん中也にはたくさん詩があって、きりがないんですが。結局、中也は失敗作も含めてみんな面白いんですよ、と言ってしまえば簡単なんですけど、『山羊の歌』のなかでも初期の作品に、ある意味で彼が、映画の言葉で言うとフレーム、詩を書いていく自分のフレームを作っている部分があって、ここを徹底的に探れば中也は相当つかめるんじゃないか、とぼくは思っています。

なかでも「サーカス」ですけど、読んでみます。

幾時代かがありまして
　茶色い戦争ありました

幾時代かがありまして
　冬は疾風吹きました

幾時代かがありまして
　今夜此処（ここ）での一と殷盛（さか）り
　　今夜此処での一と殷盛り

サーカス小屋は高い梁（はり）
　そこに一つのブランコだ
見えるともないブランコだ

頭倒（さか）さに手を垂れて
　汚れ木綿の屋蓋（やね）のもと
ゆあーん　ゆよーん　ゆやゆよん

それの近くの白い灯が

安値(やす)いリボンと息を吐き
観客様はみな鰯(いわし)
　咽喉(のんど)が鳴ります牡蠣殻(かきがら)と
ゆあーん　ゆよーん　ゆやゆよん

このはじまり方は、映画で言えばロングショットで作っている。で、これは強引な意見ですが、映画というのは、本当はロングショットなんですよ、まずね（笑）。映画はまさに展開しようという世界をバンと一回写してしまえって、ぼくは言うんです。それを見せられるのがすごい。たまに映画を見る人は感じると思うんですけど、本当に映画館のスクリーンで、ロングショットで右から左へ車が通っていくだけでも、「すごいなあ」と思わせる力がある。

ここは、そういう意味のロングショットで入っている。ロングショットのなかの広いところで、これ、ひとりで酒を飲んでいるという解釈もあるんですけど、とくにひとりという解釈ではなくて、今夜ここという場面があって、そこで酒盛りをやって、語り手が存在していると。ここをつかまえる、という感じだと思うんです。ロングショットのなかに語りだす場所をつかまえている。

しかも、「幾時代かがありまして」を三回やったあと、これが映画で言えば切り返しみたいなもので、こっち側は空があって、そこに人がいて、切り返すとサーカス小屋がある。これもロングショットで切り返している、というふうに僕は感じます。無理に寄っていかないという詩なんですね。

サーカス小屋もわりと遠目に見えていて、ブランコまで見えて、そこもまだそんなに寄りません。そこで切り返して、ここで入っていく。これが、言語による映画なんですよね。映画だったら、この小屋のなかへどう入ったかということがあるんですけど、言葉は入れちゃう。そしてもう一回切り返す。「観客様はみな鰯」というふうに、もう一回切り返しているんです。

大きい画面、大きい画面、大きい画面、で切り返していく。このあとに出てくる「ゆあーん　ゆよーん　ゆやゆよん」。これについてもいろんな研究があるし、北川透さんが非常に丁寧に考察されています。要するに、ここは言語的に言っても一番広がるところなんですね。そういう時間的、空間的、言語的な広がりを、三つくらいの大きな画面の三回の切り返しがつかまえているというのが、作品の魅力としてあると思うんです。もちろんこれには、語りの調子の面白さということもあるんですけど。

中也の詩は短い生涯のなかで書いた詩だけれど、そこに大きいものを、空間的な広がりや時間的な広がりをどういうふうにとらえることができたのかという意味で、こういう詩を初期に書いたことが重要だったと思います。

それから、一度言おうと思っていたところですけど、一般的に国語学的にはこの「それの近くの白い灯が／安値いリボンと息を吐き」の「と」、それから「観客様はみな鰯」のほうで「咽喉が鳴ります牡蠣殻と」の「と」を、英語で言えばasやlikeみたいにして読めというふうになっているみたいです。「白い灯が安値いリボンのように息を吐く」、「咽喉が鳴ります、牡蠣殻のように」と。でも、これはそういうふうに読むと、絵として修飾部のほうが消えてしまうので、むしろこの「と」のままで、白い灯と安値いリボン、鰯にたとえられた人間たちの咽喉と牡蠣殻を大きな画面の中に入れておきたいですね。

「と」が持つ広がりというのは、ドゥルーズなんかも言っているように面白い。つまり、無理に「のように」や「として」とかにしないほうが、これとこれとが存在しているということが面白いんですね。そういう意味では、この詩のここにある全部を広がりとして受けとめるときに、彼のなかに入り込んでいるものというのが見えてくるような気がします。

また、中也の詩については、わりと音楽性とか簡単に言われています。オノマトペや、「ありまして」「ありました」という調子もあるわけですけど、その音楽性というのは、音楽の音楽性なんですよね。当たり前すぎる言い方かもしれませんが、それはつまり音楽という現象なんですね。言語による音楽、あるいは言語による絵画というのは、本当はもう少しちがうものがあるべきなんじゃないか、というのがドゥルーズからヒントを得て考えたことです。

どういうことがまず考えられるかというと、絵というのは空間なんですけど、だけど、ここに時間を入れるとどうなるか。動く絵画、映画的になる。それと言語には音があるから、音楽と紛れるところが出てくる。これが言語による絵画を考えるヒントになります。当然、音楽は聴覚なんですけど、視覚による音楽というふうに考えたときに「幾時代かがありまして」という時間が空間化されるような音楽であり、つまり言語による音楽、言語による絵画。そういうものがここに出来上がっているのだと思います。

調子に乗って映画的な読み方をしました。次の「春の夜」。これはもう本当に映画的に読みたくなる詩です。とくに最初のところ。

燻銀(いぶしぎん)なる窓枠の中になごやかに
　一枝の花、桃色の花。

月光うけて失神し
　庭の土面(つちも)は附黒子(つけぼくろ)。

（中略）

かびろき胸のピアノ鳴り
　祖先はあらず、親も消(け)ぬ。

埋みし犬の何処にか、
蕃紅花色に湧きいづる
春の夜や。

最初のところともう一回出てくるんですけど、窓枠のなかに絵を作って、そして花を一枝。絵画的でもあり、かつ映画的でもある。さっきの「サーカス」がロングショットだとすると、これは寄っていく。「寄る」というのは映画の専門用語ですけど、クローズアップ的につかまえている。花とそれから「庭の土面は附黒子」というのを国語学的に読んでいくと、花が失神して倒れて、それが地面の上につけぼくろのように見える、ということなんですが、本当にそうだとこの間まで思っていたんです（笑）。いまは自信ないです。どうだとしても、あるものが倒れて地面にあるというアップ的なものですよね。「附黒子」というのもすごい。まずこれは言葉が古いですよね。この古い言葉による新しい表現というものを中也がやっている。これは初期の典型的な例だし、しかもなにか官能性があり、面白さがある。

ぼくは最近、鷗外の『即興詩人』を読んで、こんなにすごいのかとびっくりしたんです。あれが本当に日本の古い言葉で新しい文学をやった最初のすごいものだと思います。文語による新しい文学ですね。それを超えるものは、そんなにないですよね。中也には少しあるかもしれない、というふうに読みたいなと思っています。

古い言葉があって、それが新しいものになっていくという方向があるのではないかと思うんです。新しいものを作るために、変わった手法だからと古い言葉を引っぱってくるというのではなくて、古い言葉がもとにあって、それが新しくなっていくというプロセス。かなり強引なんですけど、要するに古い言葉を失神させたいというようなね（笑）。「失神」っていう言葉、思い切りがいい。古い言葉にちゃんと外部から作用している、そういう状態じゃないかと思うんです。

クローズアップだとすれば、本当は顔なんですけど、ここはあまり人間が登場しないけど、ある意味で、顔のアップを持ってきている。映画で顔のアップをどういうふうに撮るかというと、その人は次に何をしようとしているのか、どういう感情をこらえているのか、というふうに表現します。そういう意味で、外からの作用を受けているからクローズアップがあって、その写ってない部分にこの人間はある反応をしている、ということだと思うんです。それがこの文語に起こっているし、また表現としてそれを抱えこんでいると思います。

十九世紀から二十世紀へと行く時間。それを読みとりたいなと思って、その証拠に、こじつけのようですけど、なぜ「祖先はあらず、親も消ぬ」、祖先はなくて親も消えたというところへ行くのかが、中也の方向を見せていると思うんですね。そっちの方向へ行くということです。そこが、ずばり二十世紀へ向かっているなと思えます。

中也の詩は、要するにそこに何があるのか、その問いへの勝手といえば勝手な答えです。海に何がいるのか、人魚がいます。さらに自分で見ている風景の中に何があるのかじゃなくて、どっちへ動いていくのか。埋めた犬はわからなくなっている、でもこちらへ動いていくみたいなところに面白さがある。この「春の夜」は、強引に言えば、クローズアップだけで全景をとらえようとしている。最後は蕃紅花色になるわけですが、これは中也のなんというか、色気のあるところというか、退屈させないところですよね。

イェイツと中原中也

中也に入り込んでいる時間と空間の広がりというのを確かめたところで、対照的に長い時間を現実に生きたイェイツという人を取り上げてみたいと思います。イェイツという人は、日本ではどうなんでしょうか。あまりうまく紹介されなかった詩人なんじゃないでしょうか、存在の大きさに対して。一九二三年にノーベル賞をもらっていますが、日本でノーベル文学賞なんて全然記事にもならなかった頃でしょうか。そういう存在なんですが、いろんな意味で現代詩を考える上では重要な存在です。

先ほど、ヴェルレーヌとダダイズムをまったく別なものだと考えたんですけども、多くの文学者にとっては、十九世紀の文学と二十世紀の文学、どこかで断絶があるんですね。断絶があるから二十世紀文学で、その断絶のところでヨーロッパは第一次世界大戦、そしてそのあとソヴィエトという新しい国が生まれ、エリオットの詩が出てきて「荒地化」を確認する。この断絶の前後を見てきた人というのがイェイツです。

イギリスではフランスのように象徴主義が発展しなかったので、ロマン主義のあとは、詩は一面で展開として小説、物語に接近するような感じになっていった。ロマン主義を結晶化して象徴主義へ行くというのではなくて、ロマン主義をむしろ物語的に展開した。ぼくが考えている方向で言えば、十九世紀のなかへ後戻りした。それではディケンズなんかの遺産の残っている小説に追い抜かれてしまうんじゃないかと思うんですけど、バラードという物語詩になった詩の価値はもう少し別な角度からも考える必要がある。つまり、それはみんなが読む詩を作る方法のひとつですね。物語を語る詩というもの。イェイツはそのあたりから詩を書きはじめて、世紀末をくぐり抜け、二十世紀になってエズラ・パウンドに出会う。そして、現代詩を書いて、結局はエリオット以降、オーデン以降という時期にむしろ大きな存在となります。

同時に、アイルランドにはイギリスとはちがう面がありますが、ジョイスやベケットのようなユニヴァーサルなところで評価される文学ではなくて、アイルランドにこだわる、アイルランドのフォークにこだわる。こだわりすぎて神秘的なところにも行ってしまうけれど、そういう意味でも面白いと思うんですね。あるところで必ず現代文学がフォーク的なものに立ち返る。イェイツは立ち返らなくてもそのまま大きくなるみたいなところがあるんですけど、そういうイェイツが抱えているような時間に対応しうるものが、中原中也の短い生涯の短い時期の詩作にある。そこが中也のすごいところだという感じがひとつ、中也とイェイツの間に見えてくるかと思います。簡単に言えば、老人の生きたような時間が若い中也のなかにあったのです。
　資料にあげた詩は、一九三二年の頃の連作詩で全体のタイトルが『音楽のための言葉』。「Words for Music Perhaps」でperhapsが付いていて、「かもしれない」ってことですね（笑）。そこにある二十五篇の詩の中の一番短い十七番目の詩です。

Speech after long silence; it is right,
All other lovers being estranged or dead,
Unfriendly lamplight hid under its shade,
The curtains drawn upon unfriendly night,
That we descant and yet again descant
Upon the supreme theme of Art and Song:
Bodily decrepitude is wisdom: young
We loved each other and were ignorant.

（"After Long Silence"）

長い沈黙のあとに言うこと。すべての他の

愛する者たちが疎遠にされるか死につつあって、
敵意をもつ明かりがその笠にかくされ、
敵意をもつ夜にはカーテンが引かれたいま、
私たちが芸術と歌という崇高な主題について
語って語ってやまないのは、まちがっていない。
肉体の老いは賢くなるということ。若かった私たちは
愛しあいながら無知だった。

（「長い沈黙のあとで」福間健二訳）

「After Long Silence」（長い沈黙のあとで）。長い時間の沈黙ということになりますが、その時間は、イェイツが詩を書きだした十九世紀から二十世紀のはじめ、アイルランドがイギリスにいじめられた大変な時代があって、同時にその頃、イェイツは恋愛問題でもモード・ゴンという奔放な女性にふりまわされて苦しんだ時期があって、そこからのことです。そういうのがあって、愛する者たちが疎遠にされたり、敵意をもつ灯りが笠に隠されたり、敵意をもつ夜にカーテンが引かれたりして、そういう時間があったのち、いまここで、詩と芸術はすごいぞ、いいんだぞと言っている単純な詩です。最後は「若かった私たちは／愛しあいながら無知だった」と、格好は悪いんですけど、そういうふうにぼくは訳しました。

イェイツは、ここまで何十年も詩を書いてきて、ある点にまで達していて、この「愛しあいながら無知だった」という場所、あるいは恋に苦しんだ時期、そういうふうな内側にも外側にも悩みがたくさんあった時代をふりかえっている。そこは中也の場所でもあるかもしれない。でも、イェイツが古い言葉の世界から新しい世界に抜けだしていったような運動も、中也はやった。イェイツはどこかで単純な合理主義に陥らない。また、どこかで単純なことを簡潔に言う。そういうところに共通した面白さを感じます。イェイツの半面との共通性ということですけど。

やはりイェイツみたいな人が育つためには、ヨーロッパやイギリス周辺という場所の力もある。でも、考えようによっては、それは中也も一緒で、場所の力を受け、そのなかで古いものと新しいものをぶつけて、あるいは古いものから新しいものに一気に突き抜けようという、そういうことになっている。私たちはイェイツみたいな存在を持つことはできなかった。鷗外が現代詩を書いたらどうだったか、みたいな話ですよね（笑）。そういうふうなわけですけど、中也の生涯と詩作期間の短さに対して押しよせているもの、そこに例外性があるように、イェイツにも例外的な事件が訪れている。

イェイツがどうして一九二〇年代、一九三〇年代まで抜けられたか。ひとつは、パウンドという人に会ったからです。パウンドこそ世界文学の人なんです。アメリカ人だけど、フランス、イタリアで仕事をして、結局はムッソリーニを信奉したため、アメリカからは国家反逆罪とされ、ずっとアメリカには帰らなかった。一方、ヨーロッパ古典からアジアまでいろんなところから言葉を集めて『キャントーズ』という連作長篇詩を書いた。

イェイツは結局このパウンドに会って、パウンドの考え方や新しい詩の動きがわかった。というよりは、詩なんてしゃべるように書いたっていいんだということを独特につかんだんじゃないかと思うんです。人間と世界の奥へと向かう構築とか構成とかをやった先のことですが、英語としてはけっこう簡単なんです。最後のところ、「young/We loved each other and were ignorant.」。すごくわかりやすい英語だと思います。

オーデンからボブ・ディラン、中也へ

このイェイツに影響を受けたのがオーデンです。もともとイギリスは伝統的に、フランスに比べれば詩をそれほど特別に純粋なもの、神聖なものと考えないで、普通に平べったい言葉で書けるものだと思ってきた部分もあるし、こんな題材で書いていいのかというような詩を書いてきたんです。オーデンはまさにそれを現在に結びつけたというか、徹底的にそうであることが同時に二十世紀的であるというふうにやった人だと思います。

ぼくはそれで図に乗って、このオーデン以後というのを切札にすることがありました。辻井喬さんさえも(笑)、オーデン以後になってないと文句を言った。何の言いがかりかと言われそうですけど、要するにオーデンは詠嘆調とかそういうこととまったく無縁で、とりあえず感情から

詩を書くようなものをできるだけ切り捨ててしまうんです。中桐さんの訳もあったんですけど、ぼくも訳したことがある「美術館」（一九三八）という詩があります。その四行目、「While someone else is eating or opening a window or just walking dully along;」。「だれかが食べたり窓をあけたりぼんやりと歩いていたりするあいだにも」。こういうところこそが、ものを言っている。

そのオーデンがどう二十世紀だったのか。簡単に言うと、イェイツから受けとった話し言葉を展開して、それまでの美意識と感性から自由になった。イェイツ、オーデン。これで行くと、実はそこからボブ・ディランまでつながる。ボブ・ディランがオーデンを読んだかどうかはわかりませんが。もうひとつオーデンとつながるのは、オーデンはそういうふうな感情の消し方をブレヒトから持ってきている。劇として構成されている部分の中に、いろんな声が出てくる、あれですよね。そこがブレヒト、オーデン、そして映画でいうとゴダールにつながっている。この人たちは、どこか感情が死んでいるような表現なんです。でも、感情をこめて書いてくる人よりも切実な、まったく通俗じゃない表現を作っていく。

ブレヒト、オーデン、ゴダールという方向には、中也は行かなかった。でも、イェイツ、オーデン、ディランという方向はあると思う。中也が持っている話し言葉を、ただつないで出しているのではなく、人生ものすごく苦労したとかね、そんなの誰でも言うような言葉だけど、それをここが詩の決め所だと構造を作って使っているのはオーデンとつながる。篠田一士にわからなかったというところにもなるでしょう。

ここは、本当は、荒地派ともからめて考えたら面白いところなんです。田村隆一さんが、いわゆる初期のすごい詩のあと、そうでもない詩を延々と書きつづけるんですけど、あれがやれたのは、オーデンの、話すような感じでけっこう歴史的に、世界史的に何か言っているというやり方を相当うまく吸収していたからだという気がします。

中桐雅夫さんが訳したオーデンは、オーデンの非人情、無感情、反感情的なものがうまくすくいとれていなかったかなという気がします。中桐さんの訳した『オーデン詩集』を編集して作ったときにそう思いました。大江健三郎に影響をあたえた深瀬基寛訳にも言えますが、なにか抜くべきものが抜けていないという感じです。

次に、中也の詩「秋の一日」を見てみます。

こんな朝、遅く目覚める人達は
戸にあたる風と轍(わだち)との音によつて、
サイレンの棲む海に溺れる。

このサイレン（海の妖精）を持ってくるところは、中也が同時代の先端的な部分と共有した教養を感じさせます。これをステップにした次の部分がすごくオーデンだという気がするんです。

中也はけっこう抒情的に季節の変化なんか見ますし、『吉本隆明歳時記』の吉本さんの説明ですんでしまうような、すごく典型的な自然主義要素プラス人生破綻という面もありますが、そういうことと別に、夏が終わって秋が来たというのを、こういうふうに書けるんですね。

夏の夜の露店の会話と、
建築家の良心はもうない。
あらゆるものは古代歴史と
花崗岩のかなたの地平の目の色。

これはものすごくオーデン的です。まず言おうとしてることは、夏が終わったということなんだけど、そこへいろんなものをぶち込めるということなんですね。良心という倫理的なもの、それから歴史、それからさらに花崗岩以下の広がりをここに持ってくることができたんです。この作品は横浜が舞台と言われていますが、横浜を歩きながら、自然主義では入ってこないような、ちがう場所からの作用を受けて動いている詩だと思います。

（水色のプラットホームと
躁（はしや）ぐ少女と嘲笑（あざわら）ふヤンキイは

いやだ　いやだ！）

ぽけつとに手を突込んで
路次を抜け、波止場に出でて
今日の日の魂に合ふ
布切屑(きれくず)をでも探して来よう。

この一篇の中でも本当にいろんな展開を見せています。イェイツやオーデンのやっていることとどこかでクロスする。横浜を舞台に、横浜で散歩しましたという詩を、たとえばいま佐々木幹郎さんが書いてもね、なかなかこうは飛べないと思います。この詩はもう完全に一回、抽象に飛んでいるんです。「横浜をブラブラ散歩しました」とは書いてない。ただいきなり「ヤンキイ」が出てきたり、「躁ぐ少女」が出てきたりしますから、あるハイカラな街を散歩しているんだろうくらいのことはわかる。一回抽象化したものをもう一回現実で、言葉の感触で引っ掻いているって感じですね。

これはなかなかすごいですね。私たちがどこかで持っているリアリズムとリアリズムのひっくり返しというのと、中也はちょっとちがうのかなという気がします。「魂に合ふ／布切屑」とかですね。オーデンは要するに反感情にして、それが感情的になっているものに対してどう強いかをやっているんですけど、中也の場合は、ある抽象性を作って、そこにちゃんとその現実や感情を引っ掻いているという、そういう詩だと思います。

エリオットと中原中也

エリオットの『荒地』より前の「J・アルフレッド・プルーフロックの恋歌」(一九一七年)、深瀬基寛訳と鮎川信夫訳を比べてみますと、深瀬さんのほうが中也に近くて古いんだけど、鮎川信夫よりかえって読めるんじゃないかと、そういう話になります。やっぱり中也をよしとしたいものがあるんです。この作品については、エリオットが実際に口癖にしていたフレーズが出てくるという証言もありますが、「夕暮れ」と「手術台」のような無理っぽい結合を、対自を外に向けるような語りかける調子のなかでやっちゃう。かなり中也的です。

ちょっと話はちがいますが、『吉本隆明歳時記』の吉本さんはさすがにうまく中也の詩の書き方を当ててみせている。「この自然詩人の季節はいつも、行きあたりばったりの言葉から心象の景観のなかではじまる。そしてそのうちに固執するに足りる言葉やイメージがふと浮びあがってくる」って。吉本さんが別のところで書いている言葉で言えば、「あたり」をつかんで、そこから詩を引き出していくということですが、こういう言い方をしているときの吉本さんは、『言語にとって美とはなにか』で主張した言語の自己表出というものを狭くしてしまっている気もします。吉本さんは、シニフィアンに対して自己表出はどうちがうのかを結局はっきりさせることができないのみならず、こういうところでは結局、中也の自己表出が言葉の意味を超えて展開するようなものというのを、用意された答えの中に閉じ込めてしまいますよね。ここは繰り返し的になってしまって、「傷つきのつぎには悔恨が、悔恨のはてには虚無が、虚無の挙句にはまた、執拗な投げやりな希望や憧憬がというように」というふうになります。

これでは自己表出が、まさに囲い込まれているシニフィアン、フロイト理論との密通が疑われるようなシニフィアンとすごく似てきてしまうという問題がある。この、現世への希望や憧憬が投げやりになったり執着になったりということ。中也には確かに希望も憧憬も執着もあるんですけど、現世を突き抜けようとしている欲望があると思うんですね。それを押さえられないんじゃないかと思うんです。

突き抜けるというと、私たちに通じなくなってしまうかというとそうではなくて、まさにそれが私たちに通じていくものであって、エリオットを出したのは、彼はすごく保守的な批評家で、いろいろ問題はあるんですけど、英米の批評家のいいところで、コミュニケーションというのをばかにしなかった。アンダースタンディングという理解よりも、コミュニケーションという表現をとおして相手に通じさせるところを重く見て、エリオットはたとえば自分の批評がわからない人でも詩はちゃんと通じるんだってところを押さえたんです。

一方、吉本さんはディスコミュニケーションのほうへ思い切って舵を動かし、たまたまコミュニケーションの訳の「伝達」や「通信」というのに足を取られすぎたかなっていう気がします。詩の価値というのを、コミュニケーション、要するにおたがいに通じあうということですが、その反対とした。それでは、中也のその突き抜けていくもの、現世を超えてしまうような要素が、同時にそれは人に通じさせるものを持っていたということは大きいと思いますが、そういうことが言えなくなる。自己表出でもコミュニケートするというように、コミュニケーションの概念を作りなおしたほうがいいんです。

中原中也のなかの世界文学——ディラン・トマスと中也

ディラン・トマスは、実は中也に一番近いところがあった。ディラン・トマスについて言いたいことは、イェイツもそうですが、知的なレベルがそれほどでもないとして、エリオットとかオーデンとか同時期にもっと頭のよさそうな詩人がたくさんいるんで、軽んじられる傾向がイギリス詩の世界であった。でもいま、世界の詩という場所へ行ったら、みんなディラン・トマスは好きです。

アメリカでは本当にずっと人気がある。そういう人なんですけど、中也との共通点は、最初から最後までだいたい同じような詩を書いている。この、発展がなさそうに見えるけれど、実は発展が微妙にあるというところ。発展がちゃんとある詩人は行儀のよい成長や成熟をするんです。

そういうことをしないと発展がないと思われてしまうけど、実はそうではなくて、発展の展開が微妙にあります。それはちゃんと外界に反応する詩人だからなんですよね。

ディラン・トマスは最初、けっこう抽象的なテーマで書くわけです。その暴れまわるようなイマジネーションをきっちりした枠に入れるように書いた。で、その構成とはどういうことになるのかということです。テリー・イーグルトンという批評家は、ディラン・トマスの堅牢な技は構成倒れになってしまっているぞという指摘をしている。構成が内容に勝ちすぎている。きょう、言ってみたいと思ってきたことですが、ぼくはかつて中也に構成がないと不満を持った。中也だけでなく、三角みづ紀さんもあまりちゃんと詩の構成がないなというふうに思ってきて、三角さんには言っちゃったんですけどね。そこから考えが変わってきました。

実は詩の構成というのは、吉岡実の「僧侶」みたいに、出てくるものに役割を作って動かしていくのが構成なんだというような構成にはあまり決定性がないんです。

ところが、中也の「曇つた秋」のように、小林秀雄と思われる「君」が出てきて「僕」がいて、そしてそれは人生のある場面、のっぴきならない場面を書いて、そして、自分の死の予感を挟み込んで、かつ最後に長いカタカナのプラスアルファーを持ってきている。これ以上の構成はないんです。人生からの詩であり、死の予感に向かう詩であるという、そういう構成。初期の詩にはそれが圧縮された形で出てくる。

構成というのは、構成すればいい、じゃないんです。構成から逃れる力というのが大事であって、それがディラン・トマスには要求されていた。一方、中也は、構成は一見半端に見えるけれど、よく言えば、構成すると同時に構成から逃れる力を十分持っていた。三角みづ紀さんの詩もそうなっている気がしますけど、そういう面というのはわりと最近気づいたことです。つまり、中也の構成はある意味で完璧です。こういうふうにやるしかないんだ、という構成があるんですよ。一方、吉岡実だったら、「僧侶」は世間の評価とは反対にかなり退屈な詩で、ああいうふうな見かけ上の構成から逃れて自由に書くようになった詩が、吉岡実の面白い詩だというふうにぼくは思います。

構成について思ったように、あらゆることが二面性あるいは多面性になっているという気がします。そこが、むしろ二十世紀一辺倒の詩よりも、十九世紀的なものがいろんなふうに入り込んだ中也の時間と空間、中也に入り込んでいた広がりの面白さであり、そこから中也自身が意識していない外に通じていたんだと思っています。

時間が足りなくなって端折りましたけど、「世界文学のなかの中原中也」が、実は「中原中也のなかの世界文学」なんだぜ、というところへ持っていきたかったんです。中也のなかにそういうものがある。この詩人の、いちばん奥にあるまともさを言ったことにもなると思います。省略したところは、またいつか機会があったらお話ししたいと思います。このへんで終わらせていただきます。

世界文学のなかの中原中也——講演のための前置き

私は、英文学を勉強しながら現代詩を書いてきた。そういうことになる前、つまり、英文学も現代詩も知らなかったころに、私も人並みに中原中也に熱中した。高校時代ということになる。学校をさぼって街をウロウロしているような気分に「汚れつちまつた悲しみに」や「ゆあーんゆよーん　ゆやゆよん」がフィットしたのである。

ところが、その時期がすぎてからは、中原中也をものすごく熱心に読んだという記憶がない。この詩人をとても大事な存在としてきた北川透のそばにいながら、そうであった。

ひとつには、若い私のなかに日本語の歌謡的な韻律への反発があり、中原中也の詩もそれを使っていると感じて乗れなかったということがある。それ以上に、英文学をやり、英米の現代詩に親しんだということが大きかったとも思う。うた的なものへの反発もそこからきていたかもしれない。文学だけではなく、ロック音楽などでも耳に入れていた英語のリズムが中原中也のリズムとはすれちがう、そんな感じもあった。

見まわしてみると、英米文学系の人たちに中原中也に冷淡な人が多い。戦後詩では、荒地派の詩人たちはだいたい英米文学系の教養を身につけていた。そして中原中也には冷たかった。「中也や道造の詩に三十過ぎた人間が関心を抱くとすれば、その人の詩的感受性は、二十代の初めで成長をとめてしまったものとしか私は考えられない」という一九五九年に出た中桐雅夫の意見が有名である。これは、韻律・リズムということよりも中也と道造を一緒にして幼稚だと言っている。しかし、中也を幼稚だとするような知性の思い上がりがそのあとの半世紀でどうなったかを私たちは見てきた。それを意識していたい。

私の英文学上の恩師のひとりが篠田一士という批評家である。彼も一九五九年に「傍役の詩人中原中也」というエッセイを出した。大岡昇平の『朝の歌』の書評として書かれたものだが、中原中也は河上徹太郎と小林秀雄のわきにいてヨーロッパ詩の正統的なものをちゃんと吸収しなかったとした。私は漠然と、この篠田説の影響も受けていた。

そういう私だったが、最近になって俄然、中原中也がおもしろくなってきた。

中原中也はランボーを中心にフランス文学を勉強した。しかし、日本のフランス文学系の多くの詩人とはちがって、生きることのせつなさを日本の風土的なものにかさねて、自分の詩に引きよせることができた。フランス文学系への批判軸のひとつとして彼を読みなおしたいという気持ちが、いまの私にはある。

中原中也が詩を書いたのは一九三〇年代である。私が英文学で読んできたW・H・オーデンやディラン・トマスも、一九三〇年代に詩人としての仕事を開始した。現在の表現論の視野で考えたときに、そこにつながるものはないか。私の「世界文学のなかの中原中也」はこの問いからはじまった。世界文学という考え方には疑問も出されてきたし、また何をさしてそう呼ぶのかも意見が分かれる。しかし、中原中也をふくむ世界文学、いい感じだなという気がしている。

ノスタルジア、ウルトラ　トランストロンメルについてのメモ

トーマス・トランストロンメル。

一九三一年生まれのスウェーデンの詩人。

遠くにいた詩人であるが、知れば知るほど、好きになってきた。

この原稿を書きだしたいまは二〇一二年一月五日であるが、私は、去年の十月、この人にノーベル文学賞があたえられるまで、ほとんど存在を知らなかった。

たまたま彼の作品の日本語訳を目にしたことはあった。考えてみるとそうなのだが、名前を記憶するほどの体験にはならなかった。

けれども、いま、トランストロンメルは大好きな詩人だ、自分にとってとても大事な詩人だと言ってしまいたい。この十日ほど、年末年始で精神的に暇であったせいもあるかもしれないが、そういう気持ちがどんどんつのってきた。

正直、あわてている。興奮している。

これまで、翻訳で読んだ外国の詩人にこんなに興味を引かれたことはなかったような気がする。とくに二十世紀になってからの、つまり、現代詩の詩人に関しては。

もちろん、スタートは、エイコ・デューク訳の『悲しみのゴンドラ　増補版』(思潮社)。

これを読み、付録の栞を読んだ。

とくに野村喜和夫と井坂洋子の文章。

前者は、トランストロンメルの詩におけるメタファーのあり方に注目し、それが「われわれをある種の眩惑の体験へと導く」として、「重いテーマが扱われているにもかかわらず、しばしば官能にも近いよろこびをもたらす詩」だと言っている。

作品「四月と沈黙」の、ある箇所について、「軽い換喩的な視点の相対性」というものを見つけている。これは、大事な指摘だ。

後者も、喩に注目。暗喩が直喩や直喩的な形容句につながって「複合喩」になっていると指摘し、こう述べる。「こうした意外な組み合わせと、複雑な構造によって、作者は、用心深く詩の背後にまわり、直接物を言わない。プロパガンダの底の浅さに、用心深いのかもしれない。」

重いテーマ。用心深さ。

そういうことになるのか。

内容はわかりにくいけれど、とにかく、いい詩なのである。二人とも、詩がもたらすよろこびを十分に感じとっている。それは伝わってきた。

トランストロンメルは「メタファーの巨匠」と呼ばれてきた。そのメタファーの実際のありように対して、翻訳の限界のなかで、二人とも特徴をつかまえて納得もしている。

それができたということは、井坂洋子も言うように、エイコ・デュークという翻訳者がいい仕事をしているのだ。

このテクストは、日本語の詩として、力と新鮮さを感じさせる。凝りすぎの一歩手前くらいの、よさ。私はそう感じた。危うさや古めかしさと思いたくなるところもある。しかし、それは、日本の現代詩が簡単には持てない冒険性でもある。

夢で私は二百キロ、空しく車を駆っていた。
と、すべてが拡大されたのだ。めんどりほど大きな雀たち
その囀りに　耳も割れそうだった。

（「悲しみのゴンドラII」VI）

たとえば、ここに窺えるトランストロンメルの独創は、「拡大」にしかない。とくにすっきりといっている例を拾ったのだが、句読点と一字アキの使い方をはじめとする日本語の表現としての工夫が、読ませる詩をつくっている。

事実から裏打ちすれば、この「拡大」は、脳卒中の「発作」の体験の暗喩になっているかもしれない。しかし、それを読みとらなくてもいい。夢でそういうことが起こっている。それだけだ。

この詩人のことを知ろうと思って、インターネットでさぐった。

いきなり、パメラ・ロバートソン＝ピアスとニール・アストリーという二人の作った『トーマス・トランストロンメル』という、十七分のドキュメンタリー作品に出会えた。

詩人のノーベル賞受賞が決まって一週間ほどのうちに（つまり、テレビ番組的に）用意されたものだが、短篇の尺のなかに貴重な音と映像を含んでいる。見ていない人はぜひ見るべきである（http://vimeo.com/30809607）。

まず、ピアノからはじまる。

トランストロンメルが左手だけで弾いている。

音楽として、演奏として、なかなかのものなのだ。

一九九〇年の「発作」以来、ほとんど言葉を話すことができず、右手がマヒしている。でも、左手は動く。その彼のために、左手だけで弾ける曲を作曲家がつくってきた。

そして、話せない彼のかわりにものを言う人として、妻モニカの存在がある。

大勢の記者たちであふれるノーベル賞発表の会場の、ニュース的な映像とともに、ピアノを弾く彼、妻とともに人々に接する彼、それが彼自身の弾くピアノの音とともに出てくる。

こういう詩人。

彼がいわゆる文化的な機関や事業の外に身をおいてきたこと、そして少年の矯正施設で仕事をしてきた心理学者であることが、英語の字幕で説明される。

この存在のしかた。

文句なしにきれいだな、と思った。

そして、映像作品『トーマス・トランストロンメル』の後半におかれているのは、「発作」以前に撮影・録音されていた詩人のインタビューと自作朗読。

英訳された作品の朗読が一篇、それからスウェーデン語の朗読にロビン・フルトンによる英訳が字幕で出るものが五篇。

トランストロンメルの佇まいは静かだが、内容をふくめて言葉にメリハリがあり、その声は人に安らぎをあたえる声だ。

スウェーデンのきびしく美しい自然も、そしてかなり若い時期のトランストロンメルの姿も、見ることができる。終わりのほう、朗読にかさなって、ふたたびトランストロンメルの左手が奏でるピアノの調べが流れる。

もう十回以上「視聴」した。

そのたびに陶然とする。


朗読された作品のなかに「四月と沈黙」がある。

だから、この作品は「発作」以前に書かれたものであり、春の溝が「ビロードの昏さを秘め」ているのも、「映像ひとつ見せぬ」のも、野村喜和夫が想像したように「重い脳卒中に倒れた詩人の内景が重ねられている」わけでは、とりあえずない。

ロビン・フルトンの英訳を援用して考えると、「四月と沈黙」の構成はこうなる。

荒廃した春。見えている唯一のもの（黄色い花）と（届かないところで輝く）「わたし」の言いたい唯一のことに、アナロジー的関係がある。

「わたし」は、ヴァイオリンがケースのなかにあるように、影のなかに入って運ばれてはいるが、唯一のものには届かない。そうである負の要因、言ってしまえばひとつのものとして、溝、影、黒いケース、質屋がつながっている。観念的な詩でもありながら、質屋まで行くのがすごいと思う。


インターネットは怖いくらいに便利だ。とくにノーベル賞を受けた詩人である。いろんなものが見えてきた。

英訳のテクストも、ロビン・フルトンのほかに、ロビン・ロバートソン、ロバート・ハーズのものも読んだ。ハーズ訳は、ぼくが大いに興味を抱いている女性詩人メアリー・カーがカッコよく朗読し、明快に解説していた（http://youtu.be/uSTy25nxc-I）。

トランストロンメルの詩の方法について、ここまでにぼくが理解したこと。

断片としてあるもの、孤立しているものを、どうつなげていくか。

そのやり方に新鮮さがある。

映像的にいえば、俯瞰ショットないしはロングショットのような、広い見え方のなかにディテールをおく。

つぎに、野村喜和夫が触れたように、換喩と関係の逆転を使って、大きな全体を意識させる。たとえば、「交差点」という作品では、語り手が通りを見るのが、通りが語り手を見る、になる。通りの（地面の下からの）視力、視界を言うことで、暗い世界のなかにいる語り手を意識させる。この関係の逆転は、能動と受動の逆転でもあり、つねに、語る「わたし」がその個人的なものを突き抜けていく契機を用意する。

世界。あるいは宇宙。

その空間と時間には、ばらばらになったものをつなぐ地下水が流れている。しかし、言葉は、そのなかをまっすぐ論理的に進もうという意欲をもっていない。

そこから独特のまどろみ的なトーンが生まれている。そのまどろみのなかで、平凡なこと、異常なこと、どんなことでも起こる。

断片化と孤立をしいられているものに、つながりをつくる。そういう詩。まったく静かに（ということは、人々が声高に語るどんなメッセージ性からも遠く）人と世界の生命を感じとろうとしている。

重いテーマはない。右半身の動きと言葉を話す力を失ってからの苦しみもない。そんなことよりも、もっと大きく、一面ではからっぽの、スピリチュアルな世界に、この詩人は生きている。それと同時に、普通に暮らしてもいる。その振幅が、詩の密度とふしぎな気楽さへの機動力になっている。

彼のハイクについて。

私は、日本の俳句とヨーロッパのハイクは微妙にすれちがってきたと感じてきた。ウェールズに滞在したときに、ハイクの国からきた人間がどうしてディラン・トマスなんかに興味をもつのかと何度も訊かれ、俳句／ハイクにおける言葉の結びつきについてよく議論した。

メタファーでも並置でもないもの。あるいは、メタファーでも並置でもあるもの。

二つのもののつながり方にこだわったそういう議論が、むなしかったのではないかと思わせるものが、トランストロンメルのハイク作品にはある。

人のかたちの鳥たち。

林檎の樹々は花をつけていた。

この大きな謎。

ひそかな雨の音。
わたしは秘密ひとつをささやき
響き合わせる。

大まかに言ってしまえば、このハイクは、ディラン・トマスと俳句が出会っているくらいのものになっている気がする。

メタファーが、論理的に解かれるべき答えをもった普通のメタファーではない。ときにはただの事実を追った説明であったりしてもいい。そういう俳句的なものが、トランストロンメルにはハイクを書きだすよりずっと前から備わっていたと想像できる。


ノスタルジア、ウルトラ。

ヒップホップのシンガー、フランク・オーシャンのミックステープのタイトル『ノスタルジア、ウルトラ』を見つけて、あっと思った。トランストロンメルの詩の魅力の一面をこれで言えそうだ、と直感したのだ。

二十世紀の最初からヨーロッパの現代詩の仮想敵国だったかもしれないノスタルジアから逃げない。むしろノスタルジアの奥へと突き抜けて、あらゆる枠を踏みこえる新しい生命を見出す。それ、ありなのではないか。

これは、大げさなことを言っているつもりはない。背後にある思想は破産していても、私たちをひきつけてやまない懐かしい風景。そのなかに入って、どんな権威とも密通しない。それだけのことである。

前夜の夢に打ちひしがれたまま
わたしたちが列車に乗り込むと
それが　各駅に停まって
卵を産む。

（「十一月――かつてのＤＤＲにて」）

旧東ドイツの鈍行列車に乗って、この「わたしたち」は何を感じるのだろう。

ここで「卵を産む」のは列車だが、その列車に乗る「わたしたち」こそ、卵を産んでいいのだと読みたい。詩人の言葉がメタファーや関係の逆転をこえて出会おうとしている生命を、この「卵」に感じるのである。

とても個人的なことを言うと、英訳で読んだ感触としては、W・B・イェイツ、W・H・オーデン、ディラン・トマス以来の、いいな、という感じをもった。ちがうのは、この三人のような「狙いの偉大さ」がないことだ。いま、そうであることが、決定的にいい。

ここで、なにひとつ終わっていない。モダニズムも、表現主義も、シュールレアリズムも、あるいはメタファーも、ノスタルジアも、霊的なものも、エピファニーも、合わさることで、新しい生命を得ることができる。それをはっきりと証明している。

現代詩、まだまだやれるという大きな励ましを受けとるとともに、まだ触れていないトランストロンメルの詩がたくさんあることにワクワクする。とりあえず、英訳で読むか。それとも、この際、スウェーデン語を勉強して原書で触れてみるというのはどうだろう、とまで思ってしまった。

アメリカの詩　ゲーリー・スナイダー『奥の国』

ゲーリー・スナイダーの詩集『奥の国』がこの一月に、原成吉訳で出た。スナイダーは一九三〇年生まれ。ビート世代の仲間では、彼をモデルに小説『ザ・ダルマ・バムズ』を書いたジャック・ケルアック（一九二二～一九六九）やアレン・ギンズバーグ（一九二六～一九九七）よりも年下で、そして長く生きている。『奥の国』は、最初の版が一九六八年。日本に断続的に滞在した一九五〇年代から一九六七年までの作品をあつめたものだ。今回の訳は一九七一年の「リセット版」から。

詩人たちはどのくらい熱心に翻訳詩を読んでいるのだろう。私は、かつては現代イギリス詩が専門で、最近も意識してできるだけ英語の詩に接している。しかし、翻訳詩はそんなに読まない。読んでも目を通したという程度で、あとに残らない。何度も読み返した記憶があるのは、富山英俊の編訳によるアレン・ギンズバーグの『アメリカの没落』と、便利なので手もとにおいてきた「新潮」の別冊「20世紀の世界文学」で出会った新倉俊一訳のエズラ・パウンドの「ピサン・キャントーズ　第八十三章」くらいである。とくに富山訳ギンズバーグには影響を受けたところがある。六〇年代の詩に五〇年代の二篇を付録的に入れた「編集」。日本でだけ、そういうかたちで一九八九年に出た。二十五年以上たっているが、この一冊への私の愛着は変わらない。

エルヴィス・プレスリーが「ハートブレイク・ホテル」で全米デビューした一九五六年に出たギンズバーグの「吠える」は、高校生のときに諏訪優訳で読んだ。その存在を教えてくれたのは、高校の先輩で『大学拒否宣言』という本を書いた七字英輔たちだ。何を感じただろう。それが一九六六年のことだとすると、ビート世代の宣言的叙事詩「吠える」に同化しうる反抗の下地がこちらにあった。ジョン・コルトレーンやエリック・ドルフィーを聴き、若松孝二や足立正生に出会ったころである。私は東京で高校生をやりながら、目をつむるとケルアックの『路上』の主人公のように世界を放浪していた。

一九六八年、都立大の二年生になって英文科に進んだ。私は「現代詩手帖」と、その年から出た現代詩文庫で戦後詩に引きつけられていった。ギンズバーグを英語で読んだ。吉増剛造を読みだしていた。吉増さんは、ギンズバーグに負けていない。「現代詩手帖」の存在を教えてくれた友人がそう言った。吉増剛造とギンズバーグにはつながるラインがあった。それを横目で睨みながら、私は「凶区」の詩人たちや「現代詩手帖」の新人欄に登場した清水昶とその背後にあるものに魅了され、大学ではディラン・トマスやW・H・オーデンの英語を、パズルを解くように読むことに熱中した。トマスとオーデン、共通するものはあまりないが、あえて言えば、二人ともアメリカで受け、アメリカ詩に影響をあたえるものをもっていた。その年か翌年の一九六九年くらいだったろうか。都立大にゲーリー・スナイダーがやってきて、朗読とトークをした。まるでアメリカ人のようだった金関寿夫が赴任して間もないころで、彼が呼んだのである。耳で聴くスナイダーの英語、あまりわからなかったと思う。しかし、私は感動した。朗読も存在もとても静かだった。その静かさに力があった。最近気づいてハッとしたのだが、それが詩人というものを見た、私の最初の経験であった。

『キャントーズ』の詩人エズラ・パウンドはさらに数年後、大学院に進んでから金関寿夫の授業で読んだ。パウンドの初期のイマジズム作品は、江戸時代の俳句につながるものがある。授業はそこから入った気がする。私はあまりぴんとこなかった。ハイクが世界的な流行となる前だったろうか。パウンドが先駆的に吸収した東洋と俳句が、たとえばスナイダーに受けつがれている。金関寿夫はそれを身近で目撃していたのだ。そのころ、私の言語感覚は、清水昶やディラン・トマスや天沢退二郎などの影響で、暗喩の袋小路にハマっていた。たぶんもう放浪の空想もしていなかった。そこから動きを立てなおして、アメリカの詩が見える場所、もっと普通にものが言える場所へと這いだすまでには時間がかかった。

今回、原成吉訳の『奥の国』を読み、一九七〇年前後の個人的なことをこんなふうに思い出した。ツイッターに「引きこまれて一気に読んだ。いい詩がたくさんある。それ以上に、こんなふうに生きることにあこがれる自分がいまもいるのだ。こういう青春がいやでしかたないのが荒川洋治。そっちも偉いが」と書いた。荒川洋治という名前の出し方が強引である。ヒッピー的放浪へのあこがれと暗喩の袋小路。若い時期の私の二重の、そして相互に反発しあうような甘さを、どちらにも向かえる刀で戒めることができるのは、荒川洋治をおいてないと直感がはたらいたのだ。要するに、彼の詩は、夢を見ない現代詩だ。正確には、知的に夢をなぞらない、と言うべきか。文学が見る夢の多くは情報に踊らされているだけだ、という判断があるのだと思う。私は、青春期に詩に出会って以来、詩人たちとともにさまざまな夢を見てきた。夢を見て、自分を見失いそうになった。荒川洋治の、まともさと逆説を入りくませた「消極性」の賢明さがよくわかる。でも、見た夢のどれをも挫折させたくないという気持ちが私にはある。

やっと本題に入る。『奥の国』の作品の一部は、スナイダーが一九九二年にまとめた選詩集『ノー・ネイチャー』に入っている。一九九六年に出た金関寿夫・加藤幸子による訳がいまは新版で読める。その『奥の国』のパートは金関訳だと思うが、今度の原成吉訳はそれとだいぶ印象がちがう。日本語の詩として私の好みにかなっているということもあるが、もっと当たり前のこととして『ノー・ネイチャー』に入っている部分だけでは『奥の国』の全体が見えない。『奥の国』にはいくつもの組詩がある。書いた時期の異なる一篇としてはそれほどでないかもしれないものが、組み合わされることでおもしろいものになる。そういう組詩と、たがいに連絡をもちながら単独におかれている作品とが、さらに組み合わされて「Ⅰ 極西」「Ⅱ 極東」「Ⅲ カーリー」「Ⅳ バック」という章をつくり、その四章が『奥の国』という一冊になっている。この構造が大事である。何よりもそこから「こんなふうに生きること」への誘惑が立ちのぼっている。いわば一貫した「主題」をもつ詩人の軌跡という、もっと大きな全体を示そうとする『ノー・ネイチャー』のなかではそれが見えないし、はっきり言って、『奥の国』以後の作品にはイメージの活発さと不安が足りない。それが全体を弱くしている。

組詩のひとつ「六年」は、日本滞在から生まれた作品をあつめる「II 極東」の最後にあって、そのまとめ的なものだ。「一月」から「十二月」までの各月をタイトルとする十二篇と「反歌」からなる。訳注でわかるが、「一月」は一九五七年、「二月」は一九六三年というように、別々の時期に書かれたものだ。一九五六年からの禅寺での修行を神妙に描いたものと並んで、気ままに動く放浪の詩がある。一九六一年の「九月」はこんなふうにはじまる。

　リュックサックを板に固定し、後の荷台に括りつける
寝袋、地図ケースはガソリン・タンクの上に固定する
サングラス、テニス・シューズ、小麦色に
　日焼けしたショーツすがたのきみも
琵琶湖の西側を北へむかう
福井道はまだ工事中
　　クランク軸が石にぶつかる

無謀運転のトラックに道路の縁に押しやられ
片膝の下に海をのぞく。
どれほど際どかったか、しがみついていたきみにはわからない。

「きみ」をうしろに乗せて、日本の田舎でイージーライダーをやっている。これを詩にしているのは、まず、リズムとそれを補強するレイアウトである。ストーリーは、たいしたものではない。このあと、安旅館に入り、食事をして、「畳のうえでいちゃつき」、次の朝、目的地らしい永平寺へ向かう途中、「砂浜で愛し合った」となるまでだ。何があるのだろう。

旅の途中の、「きみ」とすごす昼と夜と朝。セックスが大きな比重を占めながら、ケルアックの文学とも共通するすがすがしさがある。いちゃつく前の、「すべての障子を開け放した二階の部屋で／いままで話題にしなかったことを／互いに話した」という箇所に、感じさせるもの、いいなと思わせるもの、何度も読み返したくなるものがある。

そして、この「九月」が、「おれたちは砂浜に寝る／おれたちの塩をまとって。」で終わる「八月」（一九六〇）と、「金持ちには金がある。金持ちにくれてやれ！」ではじまる「十月」（一九六四）に挟まれ、さらにその前、その後があるという構造によって、このさまよう青春は「道路の縁に押しやられ」「どれほど際どかったか」というところから、たえず多面性をもった組み合わせのなかに姿勢をとりなおしていく。『アメリカの没落』のギンズバーグのように、体制に対して、アメリカに対して、はげしく抗議をすることはない。ただ移動のなかで生を確かめる。ときには、はっきりと夢から醒めてもいる。このスナイダーは、いわば大きな状況をひきよせるギンズバーグと、小さな状況のなかに自分のさびしさの反映を見る『東京日記』などのリチャード・ブローティガン（一九三五〜一九八四）の中間にいる。

「Ⅱ　極東」にある組詩では「銭湯」も気になる。銭湯に通って観察した「ふろ屋のおねえさん」「男の赤ちゃん」「娘たち」「おばあさん」「少女たち」「男たち」の六篇の短い詩からなる。最後の「男たち」の後半部はこうだ。

海岸に転がっている、死んだ
裸の男たちが、ぼくには見える
　　　　ニュース映画、あの
　　　　　　戦争の

ここでスナイダーの表現は終わる。ちょっと惜しいなというところだ。ブローティガンもそうだが、かつての「敵国」だった日本で何を見たのか。自分は普通のアメリカ人とはちがう。そうであることに安心しすぎては困ると思う。日本と出会うということでは、芭蕉の俳句、宮沢賢治の詩、禅寺での修行、日本のビート派詩人とのつきあいというラインの上に、もっとなにか起こらないのかという不満が残る。

詩集『奥の国』を魅力的にしているもうひとつの要素は、「ロビンのための四つの詩」をはじめとする作品群に登場する昔の恋人との思い出だ。ロビンでありアリソンでもある彼女を、さびしくなると呼び出している。抒情詩人としての「かわいい」素質を感じた。

アメリカの詩。ウォルト・ホイットマン以来、そこには、人にも物にもじかに触っていく「声」が生きてきた。『奥の国』のスナイダーにもそれを感じる。一九九〇年のエッセイ集『野生の実践』へと発展する、地球環境をめぐる生成的思考の芽も見えるが、それ以上に言葉そのものの力が伝わってくる。

ルー・リードのニューヨーク

ルー・リードがニューヨーク州サウサンプトンの家で七十一年の生涯を閉じたのは、二〇一三年十月二十七日だった。そのニュースはツイッターで知った。日本時間で二十九日になっていたかもしれない。ルー・リード、亡くなったのか、と思った瞬間、頭のなかに「ワイルド・サイドを歩け」の、

She said, hey babe, take a walk on the wild side
And the colored girls go, doo doo doo, doo ……

とコーラスに入っていくところ、そしてそのドゥッドゥッドゥ、ドゥッドゥッドゥーという女声のコーラス部分が鳴った。
それから間をおかずに「スイート・ジェーン」の、タタンタタッタ、タンタタッタの忘れられ

ないリズムを刻むギターの音とルー・リードの歌う声がよみがえった。

煎じつめるとルー・リードはこの初期の二曲である。詞の構造と内容はかなり観察的、批評的だが、「ワイルド・サイドを歩け」「かわいいジェーンよ」と相手に向かっていく単純さと直接性をもつ。踊れるし、いつまでも耳と体に残るロックンロールになっている。

二〇一三年十一月の中旬、私はニューヨークにいた。ニューヨーク大学で私の映画を上映して詩の朗読もやらせてくれるというので、その準備だけをして行った。一週間の滞在で、知人たちに会うほかに予定はなく、行きたい場所もとくにない気がしていた。

ニューヨークは三十六年ぶりである。どう変わったかを言う基礎となるものが私にはない気がした。ニューヨークよりも自分のほうが変わっているだろう。自分も変わったし、世界も変わった。三十六年前、一九七七年である。一九七〇年前後の熱い季節が終わり、すでに十分すぎるほどふてくされていた気のする自分も、そして世界も、それでもまだ逆転的な変化への希望を持っていた。いま、そんなものはない。

着いたのが十一日。月曜日の朝で、その夜にウエストヴィレッジとグリニッジヴィレッジを案内してもらうことになった。ゲイたちのメッカであるクリストファー街から歩きだした。しかし、そのときはまだルー・リードのことを思っていなかった。彼について書く約束をしたのを忘れていたわけではないが、その最初の夜は、三十五年前に食べておいしかった記憶のある生のハマグリを食べることばかりが頭にあった。

「ルー・リードにゆかりのある場所って行けるかな」

「そういう場所だらけよ。少し前まで、ローリー・アンダーソンと彼が自転車で散歩しているのをチェルシーでよく見かけたわ」

二、三日してからやっと、二十年以上ニューヨークに住む友人とそんな会話をした。十四日の午後にリンカーンセンターでルー・リードの追悼集会があったのだが、それを知ったのはその日の夜。あとの祭りである。

チェルシーは歩いた。大きなロブスターが最大の売り物のチェルシー・マーケットをはじめとして、観光客相手のところが多い。こちらも観光気分であり、それに加えて英文学をやったことで身に付けた知識が少しずつよみがえっていた。最大の目あては、詩人ディラン・トマスが死の直前まで泊まっていたチェルシー・ホテル。そのチェルシー・ホテルこそ、ヴェルヴェット・アンダーグラウンドの、ニコの歌った「チェルシー・ガール」をルー・リードたちに発想させたところなのだが、迂闊にもまだそれを知らなかった。

チェルシーには、住みやすそうな静かな区画もある。素直に考えたら、アートを大事にする雰囲気ということでは文句なしに一級の界隈である。たまたま行ったのは、珍しく天気のよい日だった。ここで午前中に原稿を書き、午後は日向ぼっこしながらビールでも飲んだら最高だろうなと思った。体の具合がわるくなる前の、太極拳をやっていたルー・リードの吸っていた空気を、私も吸った。実は、私も太極拳ができる。

それで満足したつもりだったが、ニューヨークを夕方に発つという十七日の朝に情報をもらって、ヴェルヴェット・アンダーグラウンド時代にジョン・ケイルが住んでいて、ルー・リードもよく来ていたという場所を訪ねることができた。

ロウアーイースト、ラドロー街五十六番地。地下鉄のバワリー駅からチャイナタウンを東に抜けてすぐのところだった。日曜日の朝の八時台だが、食料品の並ぶ中国人たちの店は開いていて、働く人たち、買い物をする人たち、コーヒーを飲む人たち、みんなどっこい生きているという感じだった。中国人はどこでもすごい。ここでもチェルシーとは大違いの、生活感みなぎる完璧な下町を築いている。

その空気のなかを、一九六〇年代へと時間をさかのぼるように歩きまわった。一方にしぶとく生き抜く人々がいるこの界隈で、ルー・リードは天使的なニコやクラシック音楽の教育を受けたジョン・ケイルと会い、ヴェルヴェット・アンダーグラウンドの育ての親、アンディ・ウォーホールとも会ったのだ。そう思うだけで、頭の中が熱くなった。

ラドロー街はほとんど店がなく、アパートらしい建物が並んでいる。人は通る。しかし静かだった。五十六番地は、外階段のある五階建て、レンガ色の典型的なアパートだった。

最近の改修の跡はなく、ちょっとアールデコ調の装飾も昔の写真のままである。壁や通りの地面が記憶しているかもしれない一九六〇年代からの時間を思った。

もしスイート・ジェーンのモデルになった女性が生きていたら、もう七十代だ。そんなことも頭に浮かんだが、まばらに行きかう人は男性ばかりである。ルー・リードはここで半世紀前にルー・リードとなった。ロックンロールの詩人。結果として、ここからそんなに遠くへは行かなかったのである。

ＪＦＫ空港の売店で、サングラスをかけた若いルー・リードの顔を表紙にしたローリング・ストーン誌を買った。同誌の特集は十ページ。機中で読んだ。ニューヨークを去ったことが大事なものを置き忘れてきたように思えてきた。いま、ニューヨークにとくに何があるというわけではない。しかし、そこには私たちの胸をときめかせた表現者たちの足跡があるのだ。行く前には忘れていたそのことを確信し、また行きたいと思った。

ローリング・ストーン誌の特集の、ローリー・アンダーソンの追悼文で微笑ましかったのは、一九九二年にルーと初めて会ったとき、彼の英語にイギリス的アクセントがないことに驚いたという一節。彼がブルックリン生まれのニューヨークっ子であることを彼女は知らなかったし、ヴェルヴェット・アンダーグラウンドをブリティッシュ・バンドだと思っていたというのだ。そこまでではないとしても、日本の私たちも、彼が体に滲み込ませていたニューヨークとアメリカをともすれば見失うことがあったのではないか。

私がいちばんよくルー・リードを聴いたのは、アルバムでいうと『トランスフォーマー』（一九七二）と『ベルリン』（一九七三）の時期である。前者はデヴィッド・ボウイとミック・ロンソンのプロデュース。友人たちを呆れさせるほどグラムロックに熱狂していた私は、これをグラムロックへの強力な援護射撃として受け取った。後者は、文字通りヨーロッパの匂いがする。アメリカ産ロックの健康さや野蛮さから遠くはなれた文学的な鬱屈感、その立体化がなされていると思った。

この二枚。論じるだけで日が暮れそうだが、いま感じる正直な思いを書く。同時期のボブ・ディランとT・レックスのマーク・ボランのあいだにおいてみると、ルー・リードが見事に自分の位置を獲得しているのがわかる。音楽に内面を投じて挑戦的であり、かつポップである。しかし、まさにそこでディランとボランには負けている気がする。

一九七五年に『タイム・マシーン・ミュージック』が出た。昔も今もこれはまったくだめだと思っている。ルー・リードは全アルバム中でこれが一番で、あとはだめだと発言しているが、苦しい冗談ではないか。私は、まだ聴きそこなっているアルバムもあるけど、これ以外のルー・リードには必ずいいところがあると言いたい。一口でいえば、人が生きている街の音楽をやっている。本人はそれも演技だと言う。そうだとしたら、とても自然な演技だ。そう感じさせる、歌う以上に語る力が、彼にはある。

単純な性分なので、ニューヨークから帰ったあとは『ニューヨーク』(一九八九)をよく聴いている。パクリっぽいギター・フレーズ満載で、懐かしさに涙が出そうになる。かつて『トランスフォーマー』の「アンディーズ・チェスト」で、コウモリか凧になりたいと歌った彼が、ここでもまだ飛んで逃げたいと歌う(「ダーティ・ブルヴァード」)。そして「ゼアリズ・ノー・タイム」、もう時間がないと人を挑発する。その一方で、私が身をおいてきたばかりの、彼のルーツたるニューヨークの街が匂いとざらつきを送り込んでいる。ニューヨーク、すなわちロックンロールという感触である。実のところ、私のルー・リード体験はこれより先に進めずにいる。

人間としては、その晩年に歩んだ道はある程度見えている。ローリー・アンダーソンとの、ソウルメイト的関係から発展した愛を支えに、太極拳で体を整え、後続する世代の音楽に関心と共感を持ちつづけた。このトランスフォーマーの変身のゴールは、かなり普通の穏やかな人間だった。たくさん残されたカッコいい肖像写真がそれを示している。

パティ・スミスが言っているが、彼の亡くなった十月二十七日はディラン・トマスとシルヴィア・プラスの誕生日。旅立ちに「パーフェクト・デイ」、詩人の日を選んだのだ、とパティは彼の生涯の完結感を寿ぐ。

表現者としてはどうだったか。この「二十一世紀を先取りした最初の奇妙な偶像」（マイケル・スタイプ）が、一九九〇年代以降をどう乗り切ったか。そこで彼のニューヨークはどういう生成をたどったか。それを探る楽しみを先に残して、この文章を終わりたい。

スロヴェニアの愛

私は、旅の機会が少ないほうではない。国内だけでなく海外にも行く。それができているのは、ひとつには妻のおかげである。妻は旅好きで、いつも特別に関心をもつ国がある。このところはポルトガルに夢中だ。私の旅のほとんどは、彼女に付いていく旅なのだ。行けば、性格が図々しいので、自分の興味で動く場面もつくる。土地の人と話をするのが好きだという点では妻に負けない。しかし、あまり立派な旅ではないと自覚している。

どういう外国旅行が立派じゃないのか。観光客の多いリスボンなどで観察しながら考えたことがある。だめな順に三つ言ってみる。自分がなにか優位になれると感じられる近くの国への旅。行った国の言葉を片言すらおぼえずにすませる旅。そして、だれかに連れていってもらう旅である。昔は、編集者などにお膳立てをしてもらって大いばりで遊んで帰り、行った土地への誤解だらけの紀行文を書く文学者がいた。恥ずかしい話である。

去年（二〇一四年）の十二月にスロヴェニアへ行った。やはり妻と一緒だが、これは私が言いだした旅である。たまには、付いていく旅じゃない旅をしたいと思ったのだ。

二〇一二年の夏、私はスロヴェニアのプトゥイという町に行った。そこで毎年行われている「詩とワインの日々」という狂喜したくなるような名前の詩祭に、幸運にも招かれたのだ。ワインを飲み、おいしい料理を食べ、詩人たちと語りあった。楽しかった。その後も、スロヴェニアとはうれしい縁がつづいた。何よりも食べ物とワインに目がない妻にその「味」を知ってもらいたい、とチャンスをうかがっていたのである。

年末の十五日間をそのためにあけ、スロヴェニアの知人にメールを送り、首都リュブリャナの大学で私が話をするという企画を立ててもらった。貧乏性で、百パーセント遊びだと不安になるのだ。私がやったのはそこまで。準備の大半は妻がやった。それでも、彼女はスロヴェニアが初めて。私は二回目である。二人ともスロヴェニア語はわからない。英語がある程度通じる土地だ。英語は、私のほうが妻よりできる。「連れていく」とまではならなくても、いつもとは気分がちがった。

リュブリャナの空港に着いたとき、妻はその空港が小さいことに驚いた。まるで日本の地方都市の空港くらいだと言うのだ。たしかにそうだ。面積は日本の四国くらい、人口は約二百万人という小さな国なのだ。

その小さな国のなかに、いろんな表情を見せる文化と自然が詰まっている。驚いた例をあげていったらきりがない。私はリュブリャナ大学で、日本文学について日本語で話した。五十人以上入る教室がいっぱいになった。これでも一部なのだと言われたが、日本語を学ぶ学生がそんなにいるのだ。

「味」ということでは、首都リュブリャナから車で一時間ほど南に下ったノヴォメスト近郊のレストランの料理が最高だった。あえてひとつだけ言うとすれば、辛味大根とサワークリームでつくったソースだ。ローストビーフにこれをつけて食べる。さっぱりしていて、中身が濃く詰まっていて、いくらでも食べられる気がしてくる。スロヴェニア文化の特徴の一端を、そこに感じた。

私たちがノヴォメストでお世話になったのは、写真家のボヤン・ラドヴィッチと奥さんのクセーニャだ。もちろん、レストランに案内してくれたのもこの二人である。ボヤンとは二〇一二年にふしぎな縁で出会い、去年の十一月、彼がクセーニャを連れて来日したときに再会し、妻も紹介した。それから間をおかずに、ふたたび会えたのだ。

ボヤンは富山県の氷見市に滞在した時期がある。土地の人々と親しくつきあい、なんと去年は氷見でクセーニャと「銀婚式」をあげてもらった。二人は日本式の花嫁花婿の衣装を着て、人々に祝福された。

ボヤンにはユーゴスラヴィア時代に撮った写真をあつめた写真集がある。タイトルは英語で『YU & ME』。「ユーゴスラヴィアとぼく」であり、「きみとぼく」でもある。そのなかに、過去の情景にかさなって魅惑的に登場するヒロインがクセーニャだ。私はその写真集を見るたびに、スロヴェニアのさっぱりした「味」の奥にある、苦痛にみちた時間を感じる。同時に、そこには「愛」がある。それはボヤンの、クセーニャへの愛だけではない。大きな愛。歴史や制度をこえて人間を見つめ、生へと励ましてくれる愛である。

スロヴェニアのアルファベット表記 Slovenia のなかには英語の love がある。首都リュブリャナの名も、スロヴェニア語の「最愛の」という形容詞とつながるものだ。

「生きるよろこびが街に見えてるね。カトリック文化だからかな」と妻は言った。寒さのなか、夜遅くまで外に出て、ホットワインやビールを飲んでワイワイやっている人々がいる。朝は朝で、きびきびした動きで一日のスタートを切る人々がいる。観光用の顔よりも、自然な活気が表に出ている首都である。

私たちが帰国する前の日、ボヤンとクセーニャがそのリュブリャナまで来てくれた。仲のいい二人の、とびきりの笑顔。うれしかった。すぐにまた会いにくる。私たちは何度もそう言った。

この世界には「愛」という言葉がある。スロヴェニアは、妻と私にそれを思い出させてくれる大事な国になった。

傲慢さと謙虚さと　「演じる」詩人、ボブ・ディラン

今年（二〇一六年）のノーベル文学賞は、ミュージシャンのボブ・ディランに決まった。海外では、彼がもらうのではないかという予想は村上春樹に劣らないくらいに出ていたが、決まってみると驚きの声が湧きおこっている。個人的なことを言うと、私は彼こそは最大のライヴァルだと思って詩を書いてきた。これからは、ディランの表現は文学としても素晴らしいとするのが当たり前になるのだろうか。複雑な思いもあるが、素直に喜んでおきたい。

一九六〇年代前半のディランは、すでに伝説のなかにある。「風に吹かれて」「時代は変わる」「ライク・ア・ローリング・ストーン」といった歌は、当時の若者たちの心をつかんだだけではない。この世界に独特の挨拶を送っていたのだ。それは魔法の力をもつような挨拶だ。抗議のメッセージであると同時に、そのしゃがれ声は、迷路をさまよう者のとまどいやあいまいさを隠さない。

初期のエルヴィス・プレスリーを追い抜くようにして、ディランが米国に対してやったこと。

そして、ビートルズとともに世界に対してやったこと。いずれも、音楽の領域やマスメディア上の現象にとどまる話ではないだろう。

そして、ディランはそこから半世紀以上の長い時間を生き抜いてきた。いくつもの事件を乗りこえてきた軌跡。新しいディランに出会うたびに、ただの積極性とはちがう方向に、私は励まされてきた。彼のライブでは、歌手というよりも声を出す人としての迫力に胸を揺さぶられた。姿は、小柄な道化師といった印象。そこには、フランスの哲学者ジル・ドゥルーズが言ったような傲慢さと謙虚さが、奇跡的に合わさっていた。

彼の歌はどう文学なのか。まず、彼のなかで、一九二〇年代以降の米国大衆音楽における声と言葉が、彼のあこがれたランボーや、名前をもらったとも言われるディラン・トマスのような天才の詩に出会っているという一面があるだろう。

その上で、私が直感的に思ってきたのは、ドイツの劇作家ブレヒトから英国の詩人オーデンへと受け渡された「演じる」という要素が、ディランにも流れ込んでいるということだ。それが彼を強くしている。抗議や倫理をヒューマニズム的なまじめさのなかに萎縮させない。その一方で、人間の声の力を信じる。ブレヒトも、オーデンも、そしてディランもそうなのだ。

傲慢さと謙虚さの両方をもって生き抜くのだ。いよいよ難問だらけで「答えは、友よ、風に吹かれている」というように視野を遮断されたこの世界に、ボブ・ディランの受賞はいいニュースである。小説を中心においた専門家による文学のテリトリーの一端が、突き崩された気がする。

書けることを書く　ジム・トンプスン『綿畑の小屋』

古典でも純文学でも娯楽小説でもなんでもかんでも次から次に読みまくっているようなことはなくなったが、それでも小説というジャンルはばかにできない。物語のおもしろさということ、それを求める人間の大昔からの渇望が簡単には変質しないことを認めるべきだろうか。しかし、それとは別に、私は持続的に接しているのが中毒になるような作家の持ち味に引きつけられる。

持ち味、それはまず人間と世界への向かい方だ。私の場合、内外問わず、ここまできていちばん飽きないのはチャールズ・ディケンズである。何がいいのだろう。一般的な意味の長所はいくらでもあげられるだろう。人間にも世界にもこの上なく健全な好奇心を発揮した作家である。でも、それだけならただの優等生の大物だ。私がとくに思うのは、ディケンズのスキありのところ、苦しまぎれにご都合主義で筋を運んでしまうところ、構成をちゃんとやっていないところなどが、かえってそうなることで、矛盾と混沌にみちたこの世界の活力の奥行きに通じているのではないかということだ。

ある種の粗雑さ、小説はそれが必要なのだ。例をひとつあげよう。中上健次の『枯木灘』と『地の果て至上のとき』の歴然とした差。粗雑さのある前者のほうが格段に刺激的であり、作者が頭で考えていることの先へと伸びているものがある。

自分の熱中した作家でいうと、ホラー小説のスティーヴン・キングとクライヴ・バーカーや武侠小説の金庸にはディケンズの通俗版・現代版という側面があると思って拍手してきたが、かれらにもだいぶ飽きてきた。世界中に信じられない数の本を売ったキングにしても、ディケンズほどの永遠性は獲得できそうにないと思う。別な観点からそんなことあたりまえだと言われそうだが、かれらの、武侠やホラーという小ジャンルへの安住が、私の求める粗雑さを押し隠すようにはたらく気がする。粗雑さは、書きとばしている感じでもある。書きとばしが大きく外を向いていないとおもしろくない。

前おきが長くなっているので急ぐ。近年の私の好きな作家ベスト3は、ポルトガルのノーベル賞受賞作家ジョゼ・サラマーゴ、世界的ベストセラー『悪童日記』のアゴタ・クリストフ、そしてジム・トンプスンである。英文学を研究してディケンズ・ファンという居心地いい場所を手に入れかけた私がこの三者を選ぶ。どうしてか。この話も長くなりそうだ。症候的事実としてこうなっていると受けとめてもらいたい。

とくにトンプスンは、パルプ・フィクションとかB級ノワールとかポケットブックス・オリジナルとかの小ジャンルで仕事したのではないかと問われそうだ。それにはこう答えたい。彼はそこに安住したことはない。これ以上のものはないと思えるトンプスンをたたえる有名なフレーズ「ダイムストアのドストエフスキー」を発したジェフリー・オブライエンが言っているように、トンプスンは犯罪小説のルールを破っただけではなく、ときにはフィクションの土台をなすものを壊してしまうのである。

ディケンズからトンプスンまで。あるいは、サラマーゴ、クリストフ、トンプスン。このラインに私を飽きさせないものがある。小説に飽きた頭にも入ってくるもの。究極、それは小説を超える小説のあり方だと見当をつけている私がいる。

ジム・トンプスン。この名前を何によって知ったかというと、やはり映画である。サム・ペキンパーの『ゲッタウェイ』の原作者として知った。一九七〇年代前半。訳も出ていたが、その時点ではトンプスンをあまり意識しなかった。それよりもウォルター・ヒルが脚本を担当していることが大きかった。まだ監督をしていなくて脚本家として売り出し中の時期のヒルで、その脚本作品、とくに俳優のロバート・カルプが監督したテレビ・シリーズの劇場版『殺人者にラブソングを』に、私や友人は拍手を送っていた。勝手な推測だが、これはトムプスンが映像作品の脚本で狙ったものに近かったのではないか。

その後ロジャー・ドナルドソンによってリメイクもされた『ゲッタウェイ』については、原作と映画のちがいがよく議論になる。リメイク版でもクレジットに名前が残るヒルの仕事という面も考慮に入れるべきだ、と私は思ってきた。映画では消えた「エル・レイの王国」のエピソード。それを嫌ったのは、このあとに『ガルシアの首』を作るペキンパーではなく、また映画化のための当然の成り行きでもなく、ひねりすぎないのが持ち味のヒルだとしてみたらどうだろう。どちらのファンでもあったので言っておきたい。方向は別でも、ペキンパーはペキンパーで、ヒルはヒルで、トンプスンの軌跡との交差から得ているものがあると確信する。

一九九〇年代の初め、スティーヴン・フリアーズ監督の『グリフターズ　詐欺師たち』とジェイムズ・フォリー監督の『アフター・ダーク』が登場する。この二本でトムプスンに決定的に出会ったのだと思う。洋書店に行くと原書があったので、すぐに買った。読んだのはすぐではなかったかもしれないし、*The Killer Inside Me* の村田勝彦訳『内なる殺人者』を読んだのも同じころで、ことのあとさきはよくわからない。少し時間がたったところで『グリフターズ　詐欺師たち』について原稿を書いた記憶がある。いま掲載誌が見つからないが、ジョン・キューザック、アネット・ベニング、アンジェリカ・ヒューストン、出演者がそれぞれによかった。トムプスンの人物に色をつけるとしたらそういう色、というものを打ちだしていたと思う。

私はもともと十代からドン・シーゲルに代表されるようなB級アクション映画が大好きだった。そのアメリカを、ジャン＝リュック・ゴダールと日本の石井輝男や鈴木清順のあいだにおいて、映画のみならず、表現への感受性の、いわば好きなものと憧れの地図をつくっていた時期がある。一九六〇年代だ。

しかし、七〇年代半ば以降、夢の破産を何度も小出しで念押し的に知らされるとともに、その地図も引き裂かれていった気がする。でも、どんなことも、完全に終わるわけではない。ある意味で二十世紀の夢の破産の総仕上げとなる九〇年代に、一九〇六年生まれで一九七七年に七十歳で亡くなった作家トムプスンの表現とつきあうことができた。ノワールだから、人の心の暗黒面をえぐるから、この世界の絶望を先どりしているから、というように説明できること以上のなにかが起こった。

トンプスンのアメリカ。当然、古き良きアメリカではなく、地獄でありながら人を誘惑する力をもつアメリカであり、過去でありながら未知の領土をはらむアメリカであった。人が孤独をかみしめる暗い場所。いいことは、もうない。でもどこかに蜜がかくされている。そんな感じだ。代表作とされる ***The Killer Inside Me***（『内なる殺人者』あるいは『おれの中の殺し屋』、***Savage Night***（『サヴェッジ・ナイト』あるいは『残酷な夜』）、***Pop. 1280***（『ポップ１２８０』）は、細部がすべてこちらに突き刺さってくるような、文句なしのおもしろさだった。人物たちの性質ひとつひとつに作者自身のもつものが乗り移っている。哲学者ジル・ドゥルーズの考えた作家の条件をヒントにして言えば、生きることの不器用さと虚弱体質的な健康の不確かさでつながる関係が、作者と人物のあいだに、そして人物と人物のあいだにも見える気がした。

私が原書で読んでとくに愛着をおぼえたのは、***A Hell of a Woman***（『死ぬほどいい女』）だ。切りつめたというよりも書きいそいでいる表現の単純さが、トムプスン作品でも最高の蜜にせつなく出会う。父と息子、誘惑する者と誘惑される者といった「関係」の神話的な原型。それが散らかった貧しい部屋のテーブルの上におかれているのが、私の頭のなかにひとつピントをはずした絵となって残っている。

トンプスンの英語。いいときは、ヘミングウェイからトーンを奪った感じで、人が文体の条件として誤解する「薄皮」を破ってくる。そうだ、アゴタ・クリストフの習得されたフランス語に匹敵する、いわば不器用さの詩を、トンプスンは母語で生みだすのだ。

トンプスンに肩入れする一方で、やはりちょっと飽きた感じがしてきたのはいわゆるハードボイルド探偵物だ。ダシール・ハメットはちょっと別として、レイモンド・チャンドラーでもロス・マクドナルドでも、主人公の探偵の背後には、人格的にしっかりした作者がいる。作者が作品の全体に責任感をもって目を配ることが、そのまま主人公の人へのやさしさと感傷のトーンをつくっている。その構図は、たとえば村上春樹にも受けつがれている。トンプスンの主人公の背後にいるのは、そういう作者ではない。もっと危ういところで生きていると感じさせるものがある。

毎日ジョギングをするような規則正しい生活を送り、決めた一日のノルマを果たしていくという書き方からはいちばん遠いところで、トンプスンは書いている。私はそう思う。一気に書いてしまう。そのあと、本人も、調べた人たちも言っているように、救いがたいほどの停滞に陥ることがある。ぎりぎりのところで、書けるときに書けることを書くのだ。書けることはなんでも書き、言えることはなんでも言う。そうしないと仕事にならない。アイディアでも筆力でもとにかく書くのに必要な資力が底を突いているという恐怖におののきながら、いつも奇跡のように一気に書き抜いてしまったのではないか。

本書『綿畑の小屋』(原題 *Cropper's Cabin*) が五冊目となる文遊社のトンプスン・シリーズ。ここまで『天国の南』、『ドクター・マーフィー』、『殺意』、『犯罪者』と読んできて、あらためてトンプスンの、危ういからこそ、スキありだからこその、作家としての魅力を確かめることができた。魅力、余剰のあるゴージャスさの反対のそれだ。どの作品もよくできた既製品のようなものの対極にあるだろう。このヴァラエティーのなかにも職人性と不器用さが和解できないままに埋め込まれている。見方次第では小説の作り方として安易だと思えるようなことが、そうであることでむしろ「抗議」をふくんだ、世界を見抜く力になっていくのだ。

『綿畑の小屋』は、同じく一九五二年に出た *The Killer Inside Me* の次の作品で、トンプスンの残した長篇二十九本のうちの第五作。*The Killer Inside Me* がアクセントのくっきりした見せ場にあふれ、小説のプロットとは究極のところこれしかないとトンプスンが考えていたという「ものごとは見かけどおりじゃない」を徹底したものであるのに対して、ここに展開されるのはもっと微妙な表裏をもつ世界だ。

冒頭部にいきなり、十九歳の主人公で語り手の「おれ」(トミー・カーヴァー)が、学校の教室で、ゴミ箱にあった女教師ミス・トランブルのサンドウィッチの食べ残しを見つけて、口紅と唾液のついたところをつまみとってポケットにしまうという、たまらないトンプスン的場面がある。しかもトミーのその行為を、重要な人物のひとりとなる守衛（エイブ・トゥーレイト）が目撃している。この守衛はインディアンであり、その人種的な立場や屈辱が入りくんで見えてくる「尋問」を切り抜けたあと、「おれ」は体の関係をもつドナ・オンタイムに会う。ドナは金持ちの美しい娘で、キャデラックに乗って彼を待っていた。この入り方だけでも、ほんとうにたまらないトムプスンらしさが刺激的に詰まっているし、読みすすめば作品の展開上の大事な因子が詰まっていたのだともわかる。

東部オクラホマの小さな町の、過去からの因縁に縛られている人間たち。先駆的な怒れる若者であるはずの「おれ」は、そのなかで反抗の矛先をどこに向けていいのかわからない感じだし、自身汚れてもいる。トムプスンは、この若い語り手の「おれ」に、この町の、白人とインディアンの共存の歴史的な経緯をはじめとして、農業、経済、その他の社会状況の説明もさせる。トムプスンが体験と調査から知ったことであり、このあと殺人事件の犯人に仕立てられて「迷路」をさまようことになる「おれ」にそれがよく見えている、としているのは無理がないわけではないが、そんなことはおかまいなしに、言えることはなんでも言って（「おれ」に言わせて）小説を進行させるのだ。

インディアンの苗字のオンタイム（時間どおり）とトゥーレイト（時間遅れ）をめぐる話。前者は政府からの配分を受けるのに間に合ったのであり、後者は間に合わず、貧富の差がそこからくるのだが、これを言ってから、お金のあるオンタイム側の人間であるドナへの思いを「おれ」

は語る。

「かりに父親が無一文でも、彼女のことが好きだった」。そのほうが「もっと好きになるかもしれない」とするのは、ヒーローの性格として十分にまともだが、そのあと、ドナにインディアンの血が四分の一入っているのが「美女を生む」条件となると言い及ぶところで、この怒れる若者の像は少しだけ歪み、先行きを不安にする。

一方、ドナも十分に賢くて見抜く力をもっている。まるで読者のために「おれ」のかわりに言うように、トミー・カーヴァーのおかれた境遇を要約してみせる。

「その一。ミスター・カーヴァーはあなたの実の両親が洪水で溺れ死んだあと、ミシシッピであなたを養子にした。その二。彼の奥さんが死んだら、あなたを孤児院にあずけて見捨てる代わりに、メアリを養女にしてあなたの面倒を見させた。ついでに言わせてもらうと、男やもめが十四歳の少女を養女にしても法律はあまいようだけど、でも……」。さらに「その三。医者たちはあなたがもっと高地の乾燥した気候のところにいたほうがいいって考えたから、ミスター・カーヴァーはミシシッピをはなれて、あなたとメアリをここに連れてきた……」というように、である。

ドナとメアリとミス・スクランブル。十分すぎるほどねじれていそうな女性たちが「おれ」に向ける関心、かまいたい気持ち、やさしさといったものを、トムプスンはそこに絡む性の問題をいささかも逸らすことなく、濃いめに扱っている。それがあって、この『綿畑の小屋』は、ちょっと大げさに言うと文豪レフ・トルストイを恐れさせたような、誘惑あり、悪魔ありのビルドゥングス・ロマンになっていく。窮地に陥る「おれ」の冒険的な進路と停滞は、ただB級ノワール的と呼ぶのではすまない、どこまでも解決しようのない人生の時間につつまれる。奇妙な静けさが随所におこる。それがいい。

『天国の南』にジョン・スタインベックの『怒りの葡萄』を思い出させるところがあったように、これはどこかマーク・トウェインの『ハックルベリー・フィンの冒険』を思い起こさせる。主人公が罪を着せられそうになって逃げる物語。この世界のシステムの奥をのぞきこむ物語。だが、トミー・カーヴァーは助けたり助けられたりする仲間のいないハックだろうか。いや、そうでもないと思わせるものがあるとしたら、やはり女性の存在だ。それぞれの能動性が先まわりして、トミーを待っている場面がある。助けられたいのか、助けてあげたいのか。どちらでもあるだろう。

それに比べて、父たちは動かない。壁でしかない。そして、この作品のあと、『犯罪者』や『殺意』などにも登場する弁護士コスメイヤーの作戦も、何をどうしたいのか、私にはあまりよくわからない。被告を死刑にしない。そうすれば逆転のチャンスがあるという以上のことを考えているみたいなのだが、そういえば、コスメイヤーには神を思わせるものがあるとだれかが言っていた。人間とそれが好む理路をわざと見ないようにしている神だろうか。その姿にはなんとなくトンプスン自身が投影されているという感触もある。

書けることを書く。だれもがある程度そうしているというような次元の先へとそれを徹底すれば、だれかを救うことなど眼中になくなる。究極、必要なのは、あるゆることへの無責任さだ。この世界が人にどんな仕打ちをするか。どんな目にあわせるか。それを思い知ったところからの反撃が、書くという行為になっているのだ。

生きることの大変さ。それを埋め合わせてくれるほどに書くことが楽しいかと言えば、楽しいのはいっときのことにすぎない。それでも書く。表現へのコントロールができなくなっても書く。トンプスンは、それをやったと思う。条件のよくないところで、ある意味では条件がよくないからこその手軽さを、ときには楽しみながら。そのために綻びがある。それがむしろ捨て身の「抗議」になっていると感じさせる。ディケンズやサラマーゴとの比較をやりそこなった。装備の貧しさや、まだ認定されていない価値を掘り起こしていることも考えると、やっぱりトンプスンが最高かな。

慎重さと冒険心

野呂邦暢

日本の小説家で本当に好きだと言える存在がだんだん減ってきた。そのうち、片手で足りるかというくらいになりそうだ。しかし、野呂邦暢と、野呂邦暢が好きだったという小林多喜二はいつまでも好きな小説家として残したいと思っている。この二人にどんな共通点があるだろうかと考えてみた。はっきりこれだということは浮かばないが、野呂邦暢が多喜二を好きだというのはなんとなくわかる気がする。もちろん、彼がミステリー作家の鮎川哲也を好きだというのはもっとわかりやすく見えていることだ。

一九七〇年代の半ばごろ、私は亡くなった友人の小説家佐藤泰志と頻繁に行き来して、同時代の小説を語りあった。

二人とも、二十代半ば。佐藤泰志は大学を出たあと、アルバイト的な仕事をやりながら小説を書いていた。私は詩を書き、大学院で英米文学を勉強しながら、小説も書きたいと思っていた。二人とも高校生時代に大江健三郎にガツンとやられていて、とくに佐藤泰志はその影響から抜け出すことを課題にしていた。私はどうだったろう。何が決め手ということもなく、いくつかの理由から、大江健三郎というスターを身近な存在に感じなくなっていたのは確かだ。

佐藤泰志と初めて会ったのは一九七三年であるが、そのとき、彼は小川国夫が好きだと言った。私はきっと丸山健二の名前をあげたと思う。当時もいまも、一番正直になったときの好みの次元では、私はインテリ的じゃないものに弱い。丸山健二の「腕力」は、大学院生の私を取り囲んでいた知的向上心の微温性からはるか遠いところにあった。それが文句なしによかったのだ。佐藤泰志のお気に入りの小川国夫は、そのヨーロッパ放浪ぶりはかっこよくても、境遇的にそれを許された「坊ちゃん」だと思った。それが私には減点材料だった。佐藤泰志はもしかしたら坊ちゃんにあこがれていて、私はいわゆる実社会のきびしさから関係ないところにいる自分の坊ちゃん的要素を恥じていた。

そんな私たちだったが、野呂邦暢の「草のつるぎ」とその続篇「冬の砦」には意見を一致させて、これはすごいと唸った。一九七四年のことだとすると、私たちはまだ反体制が当たり前という空気のなかにいたはずである。しかし、野呂邦暢の「自衛隊」はわかると思った。小説の表現としてすぐれているというだけでなく、恵まれない条件の職場を転々とした末に自衛隊を選択した青年の心理と身体に、無理せずとも寄りそえると感じたのだ。

私たちは、それを契機として、野呂邦暢の小説を熱心に追いかけた。そのなかに描かれる孤独な心を追跡しながら、自分たちのいる場所を、それまでよりもうひとつ自由な枠で考えることができるようになっていた。それがうれしかった。

野呂邦暢の表現には、感覚的に言えば、憂鬱さとみずみずしさが双面のように織り込まれている。それが、私たちの単純な思考の、腕力とインテリ性を対極においた構図をゆさぶる力を発揮したのだ、といまはわかる。

とくに若いときの私は、表現のなかに持ち込む行動のイメージをかなり雑に考えていたところがある。とにかく跳ねたい、弾けたいであったが、それを戒めるものを野呂邦暢から受けとった気がする。跳ねたり弾けたりするよりも大事なことが、文学にも生きることにもある。そう意識するようになった過程には、野呂作品の散文詩的な部分、とりわけその抑制の効かせ方に接したことが大きく作用している。

野呂邦暢は、一九六〇年代半ばから小説を書きはじめ、一九七三年十二月に発表した「草のつるぎ」で芥川賞を受けて作家活動の地歩を固め、一九八〇年五月、四十二歳という若さで急死するまで精力的に書きつづけた。その重要な仕事のほとんどがなされた一九七〇年代とは、この国にとって、どういう時期だったのか。最近、私はそれを話す機会があった。話しながら、鈴木志郎康の詩集『やわらかい闇の夢』（一九七四）と並んで、野呂作品こそは一九七〇年代におこった変化を資料的な意味ではなく、深く感受している代表的なものだと脳裏にめぐらせていた。

一九六〇年代後半からの「運動」がシステムの上では具体的な成果もなく収束し、多くの問題を未解決のままにして、表面的には静かな暮らしが営まれていた。石油ショックやロッキード事件もあったが、一定の改革をほどこした日本の経済は成長から安定への道をたどった。夢は消え、ハツラツと主張できることなど何もない。日常の小さな楽しみにしがみつくしかない。そんな状態に追い込まれ、ぼんやりと不安を感じながら、人々はピンクレディーやドリフターズの出てくるテレビを見ていたのである。

そういう一九七〇年代の社会の「幸福」に対してあまり上手に歯車を合わせられない暗い心の行方を、野呂邦暢の小説は追っていた。言わずもがなかもしれないが、それは人が環境に負けていくだけの自然主義ではない。物語の流れをせきとめるような詩的凝縮点をつくる。そこに、夢を封じた先の、それでも人が人であり、若者が若者であることへの励ましとなるような息づかいを感じた。

とくに私が好きなのは「冬の皇帝」と「一滴の夏」である。どちらも最初に読んだ夜の興奮がいまでもよみがえってくる。

ほかでも書いたことであるが、私は「一滴の夏」を読み、「その理由を踏む靴にこぼれる／一滴のあこがれのために」というフレーズをふくむ詩「ぼくの十月は憂鬱な逸脱をつづけている」を書いた。そしてだいぶ時間がたって一九八〇年代後半のことになるが、佐藤泰志はその連作『海炭市叙景』のなかに、「一滴のあこがれ」という題の、少年を主人公にした作品を書く。そのおおもとは、野呂邦暢から受けとった一滴である。

最近になって思ったことであり、そうだと言葉で確かめあったことはない気もするけど、野呂邦暢の作品世界は、反発と共感を入りくませてつきあっていた佐藤泰志と私が素直になって握手できる場所だったのだ。

私は、「一滴の夏」の「言葉以前の言葉を理解しなければならない」というフレーズがとても気に入り、よく口にした。少しずれた受けとめ方になりそうだが、この世界には言葉にすることで壊してしまうものがあることを学んだと、これもいまだから言えることだ。

「野呂さんの小説は、慎重さと冒険心がたたかっている」

佐藤泰志がいくぶんは自分の小説の書き方に引き寄せるように、そんなことを言ったことがある。

確かに、野呂作品では、一篇の構成においても、細部の作り方においても、慎重さと冒険心がともに妥協することなく交錯している。ときにはそれが痛々しいと形容したくなるほどのものになる。それは、単に技法上のことだけでなく、主要人物たちの生き方にもあてはまる。それをとおして作家自身が、一九七〇年代後半の「生きること」の核心にあった葛藤に迫っていたと言っていい。

この第六巻に収められた短篇の作品群においても、慎重さと冒険心が、技法と人物の造型の両面でせめぎあっていると思う。

自分の関係する女性の心を疑う男を中心においた憂鬱な物語が多い。そこでの男の不信は、心理の問題で言えばひとつの病気であるが、同時に夢を封じて見かけ上の安定を手に入れている社会の断面である。出口の見つからない閉ざされた断面であり、そこに生きる者たちの関係は破綻していく。一般的に人にとって異性の心は謎であるという以上の怖さが、ミステリー的叙述と相まって増幅される。

やさしいけれど、自分自身も相手も幸福にはできない男。彼にとっては、相手の隠されている過去や読みとれない心は見えない敵である。それとたたかう。冒険心があるからこそ陥った苦しい場面であり、慎重にたたかわなければならない。そういう男の像には、むろんのこと、作家自身の姿が投影されているだろう。野呂邦暢は、そんな場面に何度も遭遇しながら、四十二歳の死にいたるまでの密度高い作家生活を送ったと想像できる。

書くことはすなわち姿の見えない敵とたたかうことなのだという一般論を超えて、ミステリー好きでもあった野呂邦暢が身をおいた闇の性質を私は思う。それを如実にものがたっているのが「縛られた男」という奇妙な作品である。

いわばマゾヒスティックなまでの、自分自身への暴力。一九七〇年代の社会の全体も、小説だけでなくエッセイも多く残した作家業への取り組み方も、そのための装置として作動したという一面があるように、私には感じられる。

『愛についてのデッサン』は、ミステリー、本、そして詩の好きな作家が、余裕をもって楽しんで書いていると思う。悲しい物語もふくみながら、この巻の短篇群にはない、明るい光がさしている。作家にとって、これは秘密としてかかえこんでいた闇の言い分を聞きながら、別の性質のものに変えようとする試みだったかもしれない。私はある場所に書評を書かせてもらったが、この連作が大好きである。ここでも野呂邦暢の慎重さと冒険心は健在であり、まるで彼自身が新しい恋に落ちていくように書いたという感触がある。

野呂邦暢が亡くなってから三十五年の歳月が経過した。書くことへの、その誠実でひたむきな踏み込み方に、あらためて驚かないわけにはいかない。文学、やっぱり大事なんだよ。彼の仕事の、どの一節をとっても、そう言ってくれている気がする。

彼が抱きしめたもの

小島信夫

触覚的にはグニャッとしている。動きは緩やかだが、弾力がある。そういうものの強さを小島信夫に感じる。

この性質は何に適しているだろう。

ずばり、抱きしめるという行為ではないか。何を、だれを抱きしめるのか。感覚の次元以上のこととして、彼の文学にはそれを問いつづけた一面がある。彼だけがそうだというのではないが、通りいっぺんの解剖では明かせそうにないその持続力の秘密に迫りたくて、こんなことを思った。

私は、能天気に自分が長生きして何をするのかと考えることがある。こちらがつよい関心を持ちながらも読み切れないテクストがいつまでも残っている作家がいることは、ありがたい。その作家を読むために生きることができそうだからだ。

まず、『フィネガンズ・ウェイク』まで突入したジェイムズ・ジョイスがいる。『フィネガンズ・ウェイク』は、一ページだってちゃんと読めない。しかし、眺めているだけでも退屈しない。ジョイスをとらえた連想の鎖が密度をもった音になって鳴っている。『別れる理由』以降の小島信夫のテクストも、長生きしてつきあいたいもののひとつだ。後期のジョイスと同様に、そこにいたるまでの、落差をもった道のりがある。それらは、れっきとした日本語の散文で、意味をたどるのはむずかしくないが、正直なところ、何をやっているのかよくわからないところがある。それを解説する人たちはいる。なるほど。納得しながら、かれらはそういうふうに説明して安心しているだけかと思ったりする。

小島信夫は意志的な選択をして、冒険をしたのだろうか。そうじゃない気がする。冒険へと踏み込んでしまったのだ。確かに、『別れる理由』は壊れた小説である。苦しまぎれの連続の先に、結果としてそうなった。そう感じられる。その壊し方はどこかいいかげんであり、ときには緊張感を欠いている。その魅力は壊したこと、壊れていることにではなく、そこまで行き、さらに先を歩こうとしていることにあると思う。

小島信夫の小説でも、エッセイでも、何ページかを読んだだけで、いつも落ち着かなくなる。それを楽しさだと言ってもいいが、意味や内容として言われていることとは直接には関係のない思考や意識に接している気がしてくるのだ。

そっけない文体。彼だけの特許ではない気がするけど、私はすごいと思ってきた。簡単には形容しがたい力がそこにある。緻密さの反対。考えてないのかなとさえ思えるときがある。いわば思考が言葉をつないで文体をつくるという順序とは別の回路で、文体が思考を生み、さらにそれが言葉になっていると感じさせるところがある。ここで主語に困ってしまうが、複雑に考えすぎないことにして、小島信夫の文体は、と言うことにしよう。彼の文体はときに、いや、しばしば、言葉がたどっている地面とは別なところに思考の網を広げていく。

その網は何をするのか。

大きく考えれば、小島信夫は、戦前から戦後へとうまく立ち回って生きのびた日本人の、ある部分に対して、くやしさを感じている。そういう部分からの要請と感じられるものに対して、抵抗しようとしている。しかし、その文体から放たれる網は、敵をとらえるというような積極的な役割を担っているわけではない。そうではあるが、いろんなものが引っかかってくる。いろんなもの、どれも私たちの社会の症状と関係がある。それをどうしたいのか。とくに解決したいというわけではないことだけが確かそうな、ふしぎな網だ。わかっていることを書いていない。わからないところに投げている網でもある。

今度はじめて『大学生諸君!』を読み、それから『墓碑銘』と『女流』を久しぶりに読んだ。小島信夫はこのあたりではかなり普通の小説家をやっている。彼が最後に行きついたところから考えれば、そんなに追いつめられていない。小説というジャンルを楽しみ、作家業の歩むべき階段をのぼりながら、さらなる冒険への下準備をしているという感じである。ああ、そういうことなのかとほんとうに感心したが、作家は読者に対してそうであるように、自分に対しても題材をあたえているのだと思った。

それぞれ、ヒロインがいい。とくに、『墓碑銘』の主人公の妹良子。ありえない設定のありえない造型を魅惑的にやりきっている。自然主義的な悲劇の足音を寄せつけない聡明さがある。『大学生諸君！』の仲子も、『女流』の満子も賢さと女性的ファンタジーのあいだに、作家の求める蜜を分泌している。

これらの作品の時期は、この作家が社会と女性の根本的な変化に直面する『抱擁家族』前夜ということになるが、すでに、脇役的におかれた人物たちもふくめて、女性は男性の手に負える存在ではなくなっている。それもちゃんと書かれているが、その一方で作家は夢を許している。登場する男性たちに。それ以上に自分自身に。

男性の主人公がいて、そのまわりに人物が配置され、物語が展開する。変則的だとしても、そういう小説である。当然、随所に男性である作家自身の夢が投影される。それが、描写への意欲を一見欠いたように見える書き方と微妙に合わさって、古い美意識を放りだしている。大きな魅力のひとつだ。

論理としてはうまく解けないかもしれないが、彼が抱きしめたものは、女性への夢そのものとは別に、配置と展開の、選択の猶予であり、その猶予を決定的に奪われるのが『抱擁家族』だったという気がする。選択によるのではなく、自分にはコントロールできない力の作用によって踏み込んでしまう領域。そこにおいてこそ、文学と生はいっそう深く結びついたのだと想像する。

寒い春　追悼・吉本隆明

妻と旅行していたポルトガルで、吉本隆明の死を知った。

光は春の光でも風は冬の風が吹くポルトガルの北の方をまわったあと、あたたかい海辺の町ナザレまでおりてきたところで、リスボンに住む友人の横木徳久に電話した。

「福間さん、パソコンとか持ってないから、日本のこと知らないでしょう」

何も知らなかった。地震のあった去年とちがい、テレビのニュースで日本のことはぜんぜんやらない。ポルトガルは、私には身近な「世界の果て」のひとつであることが訪れる理由になっている。旅のあいだは、できるだけ日本のことは忘れていたい。

「吉本さんが亡くなりましたよ」

不意打ちをくらった気はしなかった。日本の新聞は吉本隆明の死を大きく扱っているらしい。日本にいなくてよかったと思った。

文芸批評における江藤・吉本時代、あるいは江藤・吉本以後、という言い方がある。それは、簡単に言うと、左翼的な「近代文学」派やいわゆる進歩派が一方にあり、それとバランスをとるように（かならずしも右というわけではない）一群の批評家たちがいた、いわば批評界の「冷戦構造」に対して、どっちもだめなんだというところへ踏みだしたのだったろう。二人のたがいへの敬意の表明は、消極的に考えれば、その踏みだし以前の存在たちへの不満を裏返したものだ。

そして、その二人の共有した確認のなかで生き残ったのは、小林秀雄であり、もっとさかのぼれば漱石である。言うまでもなく、漱石と小林秀雄は、江藤淳の選んだ対象であるとともに、吉本隆明にとっても大きな存在でありつづけた。

江藤淳は、太宰治を認めないだろう。ゴダールのような新しいものも拒んだ。吉本隆明にとっては太宰治も大きな存在であり、彼はまたサブカルチャーもふくむ新しい文化にも積極的に好奇心と判断力をはたらかせた。そこが二人の違いである。経験的に言うと、この二人をおなじ比重で読んでいる人にあまり会ったことがない。私は江藤・吉本を一緒に読んだ。でも、この二人のあいだでなにかを考えるというのは、実り多いことではないとも思う。江藤・吉本の相乗効果からは人生論好きが生まれる。私が始末したい症候のひとつだ。

なぜこんなことから始めているかというと、実は、私は一九九九年の江藤淳の死も旅先で知った。スコットランドを旅したときで、大都会エディンバラにいて、たまたま通りかかったスタンドの日本の新聞の見出しが目にとびこんできた。その死は奥さんのあとを追った自殺であったから、ショックは大きかった。

江藤淳の仕事は、いまとなっては、強引でアクロバット的な議論の作り方が説得力を薄くする一方だという気がするが、文学や芸術の外にも通じる「常識」を手放さないものだ。文章はいいし、そこに忍ばせている歌謡曲的な感傷にも私は冷淡になれない。要するに、泣いているし、泣き方がうまい。そのことが自殺のニュースのなかに見えてきた。はげしく泣いて生涯を終えたというふうに。

　歴史を感じさせる黒々とした建物の多いエディンバラ。うまく舞台装置を用意された感じで、思いがけないほど感傷にひたり、反感もあった江藤淳に近づくことができた。

　吉本隆明の死には、そんな感傷はまったく起こらなかった。しかし、三月二十九日（二〇一二）に東京に戻り、そこからじわじわと効いてきた。

　ごく最近の新井豊美さんまで、自分にとって大事な人が亡くなるというのは、ここまでに、なんども、なんども経験してきた。人の死を受けとめるというのは、それぞれの場合でちがう。だいたいこういうふうに心を持っていけばいいんだというようなことは、ないのである。関係のあり方が、それぞれにちがう。それから、亡くなった人も、受けとめるこちらも、人生のどういう時期にあったかで、死は色が変わる。私はだいぶ前から吉本隆明に老いを感じていたが、だからといって、心の用意ができていたなんてとても言えない。ぜんぜんできていなかったのだ。

私は、たいていの場面で、吉本隆明のことを吉本さんと言ってきたが、親しさを感じているという以上に、彼のことを吉本さんと呼ぶ「時代の子」のひとりだったということになると思う。

高校生のときに太宰治を読んだ。

そして、一九六七年に大学に入った。

時代の子。

私は「運動」はやっていないが、藤圭子やロックミュージックに熱中したことでも、唐十郎や若松孝二や山下洋輔がヒーローだったことでも、新宿によくいたことでも、現代詩と映画にのめりこんだことでも、大学院に進学せざるをえなかったことでも、時代と寝ていたのであり、そういうこと全部がつくるバカさかげんや上っ調子に対して、吉本隆明を読んでいることの重みでバランスをとっていたと、いま思う。どんな議論にも、吉本さんがどう言っているかを頭におきながら、むかった。他愛なさすぎるか。遠くの目からはそうだろう。そういう「時代の子」だった。


四十年以上の時間が経過した。

彼の存在がとてつもなく大きく、その言葉に頼りきって生きた時間があったこと。これは、ほんとうに、どうしようもない。ここまできても、「ヨシモト病」と私が名づけた彼の著作からの影響が、いろんなかたちで私には残っている。それは隠せない。隠そうとも思わない。いろいろと病気をしたが、これがいちばん重かったのだ。その対策も講じてきたが、喪のあけないうちくらいは抗わなくてもいいと、いま思った。

自分には大きな意味をもつ小さな文章をいくつか書き、いちおう、彼から受けとったものに整理をつけた気でもいた。しかし、そんなのは小手先の処理にすぎなかったろうか。人生についても、世界についても、教わった（と思っている）ことがたくさんある。ほんとうにそうなのか。仮定、結論、証明。そのどれをも疑いながら、その疑い方の基本は彼から学んだものだったりする。

たとえば、年をかさねて経験をつめば、物事がよくわかってきて心に落ち着きが出てくる、なんてことはぜんぜんないんだよと教えてくれたのも彼だった。単純に衰えることに対して年とっても平気だと意気がる方向では、ミック・ジャガーやボブ・ディランから学べるとしても、それだけではだめだ。老いにむかう。それがどういうことか。吉本隆明の体験の内側からの観察と主張には、進行形の鮮度があった。私が彼と同年の母親の老いに直面しながら、いくらかでも余裕があるとすれば、彼の語ったことが頭にあるからだ。

吉本隆明は、仕事をたくさんした。どんな権威にも頼ることなく、だれにも世俗的な恩義を感じる必要もない野にあって、それができた。ものを書く人間としての、その幸福は疑いようがない。批判者たちは、吉本隆明ほどに魅力的な文章で書いていない。言い方を変えると、詩を感じさせる文章で書いていない。読んでおもしろくないのだ。吉本隆明の書いた文章は、小さなものでも、断片的なものでも、そこにぐっとくるものがある。

そんなの、おまえの趣味を言っているだけじゃないか、と言われそうだ。まあ、そうなのだろう。結局、吉本隆明の文章に、ほかの書き手には感じないような魅力を感じ、それに飽きることなく、この四十年以上の時間を私は生きてきたのだ。これは、主著とされる『共同幻想論』や『言語にとって美とはなにか』や『ハイ・イメージ論』などがとくにどうしたという話ではない。

詩にも、散文にも、あまり推敲していない感じの雑さの臨場感、独特に言葉の古い層に触れている感覚、反美意識でもあるような美意識があり、その上を、タメをきかせて言い抜いてしまう論理がとおる。

たとえば、『論注と喩』の次のような文章が、私は文句なしに好きである。

　一般に〈暗い〉人間、〈暗い〉思想等々というときの〈暗い〉ということを、内的な受容のし過ぎ、本来あるよりも過剰に、ある事柄を内的に受け入れる傾向というように理解したとする。ここでは対象が精神の暗がりまで入り込む〈時間〉があった。これはある意味であらゆる膨らんでゆく思想に必要であった。その〈時間〉なくしては創造的でありえない。これが〈暗いうちは滅びない〉ということの意味だとかんがえられる。

どこまでも引用したくなる。しかし、いまは感謝を記したいだけだ。こういう奥行きをもった見抜き方に助けられ、「暗さ」や「深さ」をはじめとするさまざまなものと、敬意を失うことなく別れることができたのだと。

そして、詩と批評の仕事が劇的な出会いをもったと思える『言葉からの触手』の、次のような一節。

言葉の像は、あたかも言葉の像を鳥瞰している言葉の像という位置にあるように振舞い、したがって「第一」の言葉の像にたいして、それを統覚するかのようにはたらく。これがなにを意味するかははっきりしている。文学作品の運命が消滅するのだ。いいかえれば言葉の像が、死から照射されながらなお文学作品の運命をつくっているのだ。もしそれがまだ運命と呼べるならば、だ。凡庸なくせに利口ぶっている批評が死ぬのもその個所だ。

ここで、生と言葉に対して、吉本隆明がつかまえている現在を、私はまだ生き抜いていない。そう思って、書きつづけている。

人を見て、こいつ、どうしようもないなと思うとき、何を思っているか。人間ができていない。それはおたがいさまだ。そいつは、人間ができていない上に、世間の目が怖くない。それがいやなのである。私は、世間の目が怖い。根本のところで、きちんと生きられない。すました顔をしている社会の要求に応えられそうにない。自分という存在の輪郭をぎりぎりのところで確かめようとすると、そういう姿が見えてくる。

それでもいいと言ってくれる文学者は、まず、太宰治だが、太宰治では生き抜けない。吉本隆明は、「廃人の歌」や「異数の世界へおりてゆく」のような作品に結晶化される、現実を踏みはずしていく詩的な不安のなかに、太宰治の弱さと居直りをとりこんだ上で、現実を生き抜く力を見出していたと思う。

いちばん個人的なところで、私がここまで吉本隆明を読みつづけた理由、その表現を必要としてきた理由は、ここにある。

去年の三月も「世界の果て」に行っていて、大震災に襲われた日本に帰ってきた。今年は、吉本さんのいなくなった国に帰ってきた。去年は暗い春で、今年はポルトガルでひいた風邪のなおらない寒い春だ。

蒼空を見つめる　追悼・平岡敏夫

私が平岡敏夫という名前を知ったのは、一九七〇年前後、北川透さんの著書をとおしてだった。怠惰でかつ生意気な英文科の学生だった私は、よく知らないくせに、国文学者では、平岡さんと、モグリで授業を受けたことのあった都立大のMさんの二人が偉いんだ、というようなことを言っていたような気がする。吉本隆明の悪影響ということにしているが、なんでも、そんなふうに一丁前の口をきく癖がついていた。

それからいろいろとあって、世の荒波にも揉まれ、二十代の終わりの二年間、都立杉並高校というところで英語教師をやった。何もかも空回りしているような時期で思い出したいことは少ないけど、忘れずにいることのひとつが、そのとき教えた生徒のなかに平岡可奈子という女生徒がいたことだ。平岡敏夫先生の娘さんだった。単純で申し訳ないが、思いどおりに生きられないことに苛立ち気味の日々にあって、「尊敬」している人の娘さんを教えているのはそれだけで支えになるようなことだった。

平岡敏夫その人にお目にかかるのは、ずっとずっとあと。二〇〇三年十二月、山口県の秋吉台国際芸術村でおこなわれた「秋吉台現代詩セミナー・ポエムの虎」においてだった。そのころ、私は思うところあって節制した生活を送っていて、生涯でいちばん痩せていた。睡眠時間短く、早起きして外を歩きまわるので、秋吉台でも驚かれた。

そういう個人史的には特異な状態にあったときに平岡さんに初めてお会いした。「日露戦後文学と詩」と題された講演をお聞きし、私の朗読も聞いてもらった。娘さんをかつて教えたことも話した。学者としてどうだということをこえて、平岡敏夫という人の全体に私は自分でも驚くほど敏感に反応した。無名の書き手の作品にも目を配るその講演の内容とともに、人なつっこく話してくれる平岡さんの存在感は、あたたかく、新鮮だった。そういうセミナーとかに私はあまり慣れていなかったので、参加者の一部の発言に感じた違和感の「処理」に困っていたのだが、そこに平岡さんと、もうひとり名前をあげれば北川透さんがいてくれたおかげで、どんなに助かったことか。

そしてその秋吉台での最大の事件は、終会の挨拶に立った平岡さんが「詩人たちが居並ぶ前で恐縮ですが」と前置きして自作の詩を読んだことである。そのざっくばらんさ、詩の中身の正直さ。びっくりした。そのときから私はそれまでの「尊敬」とは別の通路で、平岡さんの大ファンになった。

それから、毎年二月にある、池井昌樹さん主宰の会田綱雄忌「桃の忌」で顔を合わせ、著書は必ず送っていただき、また、ありがたいことに、わたしの映画が上映されるたびに映画館に駆けつけてもらった。詩人でも、大学教師でも、こんなにしてくれた人はわずかしかいない。

正直に言うと、平岡さんの国文学の仕事を私はちゃんとたどれていないが、その著書、論文、評論、随筆的なもの、どれに触れても、そこにはいつもなにか感じさせるものがある。私は、森鷗外が短篇「羽鳥千尋」で「世間にはなんと云ふ不幸な人が多いことだろう」と書いているのを、平岡さんの『呼子と口笛』の『飛行機』について」という文章で知った。『石川啄木論』の一部をなすもので、平岡さんは「この『世間には……』云々の一行には、羽鳥千尋と同じくこの年明治四十五年に満二十六歳で死んだ啄木もふくまれていたのではなかったか」と推測する。

ここから二つのことを言っておきたい。ひとつは、啄木を、羽鳥千尋に、さらにはもっと無名の若者たちにもつながるところにおいて考えることができていること。もうひとつは、明治以来の、人々の不幸のあり方を、もしかしたら鷗外以上の共感をもって、意識できていること。平岡さんにはこれがあった。歴史的時間のなかの「無名」と「不幸」がいつも視野に入っている。アカデミックの片隅を覗き込んだことのある私には、これは並はずれたことだと思える。大半の文学研究者は「有名」の付近をつつきまわすだけで一生を終えているのだ。

記憶がいささか頼りないが、二〇〇三年に刊行された詩集『塩飽 Shiwaku』を受けとったのは、お会いして間もないときだった。一九五四年に大津二郎詩集としてガリ版刷りで出されたという第一詩集『愛情』も含むもので、印象としては、詩を書く人でもあった平岡さんの過去と現在が一冊のなかで出会って完結している気がした。研究生活の一方で、長く保持されたその詩への情熱を、私ひとりでなく、多くの人が祝福したと思う。しかし、そのあとの詩集の連打を予想できた人は少ないのではないか。

十四歳で少年飛行兵となり、また戦後は研究者として明治以来のこの国の文学とともに「無名」と「不幸」の行方に目を届かせた平岡さんにとって、その過去は現在のどこかに行儀よく収まるものではなかった。二〇〇四年の『浜辺の歌』からこの七月に死後の出版となった『在りし日々の証に』まで、その過去はヴァリエーションにヴァリエーションを重ねながら、永遠に着地できないものとして、生きつづけた。結果的に言えることかもしれないが、書くことにおいてだけではなく、生きることにおいても、自分に授けられた使命を意識しながら、自分を低いところにおいた。そうであることが彼を黙らせない。詩を書くことのよろこびもそこにあった。しかし、それはただ自分のためにあるのではなかった。表現の質とか水準とかを言う前に、考えるべき大切なことを私は教えられた。

二〇一五年の秋だったろうか。現代詩文庫版『平岡敏夫詩集』の出版祝いの会を中野でもった。久しぶりにお会いした平岡さんの元気な顔にうれしくなって、私は詩人平岡敏夫の表現がその人生の時間に対してどんな構造をつくっているかを、ご本人の前で夢中で語った。その内容をいま思い出せないが、そばにいた井川博年さんのあきれたような顔をおぼえている。

平岡さんは私のことを「娘の先生」と呼んでいつも笑顔で話を聞いてくれた。平岡さんのそばで飲むのはほんとうに楽しかった。もうそれができない。胸がふさがれる思いだ。平岡さんは青空を「蒼空」と書いた。彼と同期の少年たちの霊にみちていた空だ。いま、そこに平岡さんの霊も加わっているだろうか。蒼空をみつめた彼のやさしい目から受けとったものの大きさを思う。

実感からはじめる方法　追悼・加藤典洋

その死の知らせは私を慌てさせた。どうしたらいい。瀬尾育生さんにメールした。加藤典洋さんと会うときは、たいてい彼と五柳書院の小川康彦さんが一緒だった。瀬尾さんは、長い文章を書こうと言った。私もそうしたいと言った。そこから二週間以上たった。しまい込んでいるものもあるが、加藤さんの著書は本棚にぎっしりだ。それぞれに思い出がある。読むとすぐにだれかと語りたくなった。自分ひとりで読んだのではなく、名前をあげるとするとまず水島英己さんだが、友人たちと一緒に彼の本を受けとめてきたという思いがある。同時代、人とともに考えるべきことについてだれよりもよく語った人なのだ。

その新しい本が出るたびに、手をつけたらめんどうなことになりそうな、日本人の意識のなかのこんがらがった糸が、ほぐされていた。もちろん、それで解決というわけでなく、あらたな問題が提起される。なかでも、世へのデビュー作『アメリカの影』（一九八五年）からはじまる、日本とアメリカの関係をめぐる指摘の、そのたびに「コロンブスの卵」的な発見をもった伸び方。

何度あっと言わされたことか。根気とかそういうことではなく、彼は独特のノリで立ち向かっていた。たとえば『戦後入門』(二〇一五)は、到達点であると同時に、最初の最初からやりなおしているという感じだった。対米従属。やはりこれなのだ。それに並行する数々の矛盾と議論の迷路状態の、どこを、どう切開していったらいいのかを、平易な言葉で突きとめる。それをやっている。いつもそうだったわけではないが、『戦後入門』からは勇気をもらった。何もかもが悪い方向に向かっているような社会でも、加藤さんひとりでなく、しっかりしている人たちはいるのだ、というように。

アジアの二千万人の戦死者の哀悼の前に自国の三百万人の戦死者の哀悼を、という主張をもつ『敗戦後論』(一九九七)は、大きな反響を呼んだ。第二次世界大戦に対する日本人の意識の中途半端さ。それをえぐったというよりも、突いたというものだろうか。そのなかの、ハンナ・アーレントを論じた「語り口の問題」のパートが心に残る。「共同性の言葉ではいえないことが、共同性の語り口でいわれていること」への疑問が述べられている。そこに私は立ちどまった。大事なものをもらったのだと、いま思う。

もらった。その意味で、個人的な感謝以上のものをこめてあげておきたいのは、『言語表現法講義』(一九九六)と『僕が批評家になったわけ』(二〇〇五)だ。前者は、書くことへとだれをも誘う授業の記録。「文間」ということ、新鮮だった。荒川洋治の『詩とことば』と同じシリーズで出た後者では、自分を語りながら批評表現の根拠を示した。どちらも、その読者に私は意外な場所で出会った。そんな幸福が付録のようにやってきた。音楽論の『耳をふさいで、音楽を聴く』(二〇一一)や村上春樹関連のものにも言えそうだが、保たれた自然体とフェアーな態度が文学や思想にあまり関心のない読者にも通じたのだと思う。

私は毎年のようにその年の収穫として加藤典洋の本をあげてきた。好きなベスト3は『人類が永遠に続くのではないとしたら』(二〇一四)、『日の沈む国から』(二〇一六)、そして『もうすぐやってくる尊皇攘夷思想のために』(二〇一七)だ。世界の諸問題についてかつてはこういうふうに考えていて、三・一一以降のいまはこういうふうに考えるという書き方。「人は何のために生きるか」という問いが、情報と議論のあふれる道に出て、大回りも小回りもして、歩けるところは歩きとおしたと感じさせる仕事だった。このくらいの濃さでものを言う。感心させられたことはたくさんあるが、決め手のひとつはそれだ。

会って話していて驚くのは、この批評家が、物事への、平凡すぎて呆れるほどの素朴な感じ方を隠さないことだった。批評するより先にまず対象に近づく。それを忘れていなかった。「実感からはじめるしかない」(『この時代の生き方』あとがき、一九九五)として、「他人への愛」へと急ぎすぎない矜持。可愛げもあった。

憲法九条に負けるなと挑むようにはじまる『9条入門』とともに、本誌二月号から四月号までに載った小詩集「僕の一〇〇〇と一の夜」が最後の贈り物のように残された。何を聞きとったらいいのか。私は何度も読み、何度も最初の「鯖のミソ煮」に戻った。無理をしない言葉。それを使って大きな仕事をやりつづけましたね。加藤さん、テンヨーさん。どうぞ、安らかに。

生きる。表現する。私は、この二つのことが、別々のことでなく、ひとつの太い線になるように願ってきた。作者と作品の価値を切りはなして考えるべきだとする前提を認めた上で、そう願う。また、生きることと表現の関係が、できることなら、従来のパターンをなぞるのではないものになってほしい。生活派、社会派、路上派というような括り方のどれにもハマりたくない。迷路と青空。「派」も「イズム」も関係ない地面の上をさまよいたい。新しい関係。もっと言ってしまえば、生きることと表現のあいだで引き裂かれていたいのだ。二元論ではない。ひとつのことが別の動きをする。生きることと表現。迷路と青空。その動きのあいだに絶えず新しく生まれていたい。

詩と映画をやっている。創作活動だけではなく、批評もやる。なにか、理屈をこねたいところだが、結局、自分にできることをやっているだけなのだ。そうなるように、そうできるように、生きているということでしかない。

大学の教員を三十年近くやった。これがひとつ、大きい。英語、英文学、そして表象という名の下に映画を教えた。自慢できるのはどんな「学」の権威にも不遜であったことくらいだが、とにかく自分が勉強しようと思えばいくらでもできる環境で、話を聞いてくれる学生と同僚に恵まれ、いちばんはこれかもしれないが生活を安定させる収入を得た。そうじゃなかったらどうなっていただろうと、ふとどこなのかわからない気がしてくる道を歩きながら思う。運がよかった、のである。こう書きながら、大学に職を得たこと以外のことも思って胸を撫でおろしている。悩みながらもこうなっているのは、いざとなると現れる救いの手のおかげなのだ。若いときに頭の中にあったことで実現しなかったのは、もっと早くに大都会の片隅で野垂れ死にするという夢だ。諸事情あって、迷路に踏み込んでも気がつくと青空の下にいるという生き方になった。追いつめられてそれを選択した。この世の人ではない存在も含めて、感謝したい先行者と友人たちの顔が浮かぶ。

詩と映画。個人的な「はじまり」を少しだけ素描しておこう。

一九六〇年代、私の小学校六年から大学三年までということになるが、最初に熱中したのは、映画や文学よりもビートルズ以前のポップス音楽。聴いているうちに、その当時のものより少しさかのぼった初期ロックンロールがすごいと思えてきた。プレスリー、もうたいしたことないけど、五〇年代の彼は最高。そんな意見を吐く、うるさい中学生だった。学校という「制度」とそのうしろにある社会のインチキさが見えてきて、そういうものから逃れたい不良性の肯定される場所として、映画館の暗闇にも誘われるようになる。ロックンロールからヌーヴェルヴァーグへ。この道筋だったのだといま確認する。高校時代、映画を見まくった。自分で8ミリ作品も撮り、あこがれの監督のひとりだった若松孝二にも会う。大学に入ると、「革命」の夢とともに、どう生きるのか、この世界をどうしたいのかという倫理の側から、詩がやってきた。ある場面では、映画は快楽、詩は倫理、となった。しかし、この役割分担は固定的なものではなく、そこに「転換」がさまざまに折り込まれていく。もう少し悲喜交々のユーモアたっぷりの物語に仕立てたいが、とにかくこれが「はじまり」のあらすじだ。

そこから今日まで、私は「詩を生き、映画を生きる」あるいは「詩と映画を行き来する」という夢を保持してきた。やりたくてやっている。そうする以外になかった。どちらでもかまわない。詩と映画の生成的な関係。ここでも、その恐るべき罠から抜けられないという幸運に恵まれたのだとしよう。

本書には、この十年ほどのあいだに書いたものと講演が収められている。第一部、詩。第二部、映画。第三部、詩以外の、一般的な意味での文学。そういう分け方だが、その境界が曖昧になっているところもある。さらにはいきおいと即興性で乗り切っているところが、いわば「言ってしまう声」になっているとしたら、かろうじての取り柄ではないかと自分では思う。エッセイ、批評、随筆、どう呼ぶにしても、散文はいつもどう書いていいかわからないし、なにか新しい書き方はないかと探るうちに書きだすのが遅れ、慌てることたびたびなのだが、注文の大半は断らず、しめきりを守って書いてきた。たまった原稿はこの何倍もの量になっている。詩論集

『詩は生きている』（二〇〇五年）を作ってもらった五柳書院の小川康彦さんが、そのすべてを読み、選択と構成を考えてくれた。月並みの感謝の言葉ではとうてい足りないのであるが、小川さん、ほんとうにお世話になりました。

コロナ禍で世界が揺さぶられている今日。現実でも表現の世界でも動いてほしいものがちゃんと動いているかどうか。それを問いながら、未知の読者にあいさつを送る。

二〇二一年七月七日　　　福間健二

初出一覧

第一部　現代詩

世界のいま、詩のいま　第一九回萩原朔太郎賞受賞記念講演——講演二〇一一年一〇月二九日（前橋文学館報三八号二〇一二・三）

青い家にたどりつくまで　展覧会によせて——前橋文学館特別企画展・第一九回萩原朔太郎賞受賞者展覧会図録『青い家にたどりつくまで』二〇一二・七

震災以後の言葉——「現代詩手帖」二〇一二年一二月号

フェアプレーの人　鈴木志郎康『結局、極私的ラディカリズムなんだ』——「映画芸術」二〇一二年冬号二〇一二・一

結局、詩なのだ　飯島耕一と辻井喬——「現代詩手帖」二〇一四年二月号

「遅れ」の正体　北川透——『北川透詩論集成3』月報二〇一八・二

文学への静かな誘惑　荒川洋治『文学の空気のあるところ』——山陽新聞二〇一五・六・二八

荒川洋治と社会——現代詩文庫『続続・荒川洋治詩集』二〇一九・二

ライヴァル　三角みづ紀——現代詩文庫『三角みづ紀詩集』二〇一四・八

せかいの深呼吸　岡本啓——前橋文学館特別企画展・第二五回萩原朔太郎賞受賞者展覧会図録『絶景ノートの余白に』二〇一八・二

迷路と青空　ソウルで話したこと——二〇一七年日韓詩人交流会と詩朗読コンサート『人工知能時代の詩作とその

解読』図録二〇一七・一一
いい詩を書かなくちゃな　ノート・二〇一九年四月――「詩的現代」第二九号二〇一九・六

第二部　映画

映画、世界、人生　ゴダールとトリュフォー――「キネマ旬報」二〇一一年六月上旬号
ジャン＝リュック・ゴダールの初期についての10のメモ――未発表二〇一一・六
カツ丼と味噌汁　追悼・若松孝二――文藝別冊『若松孝二　闘いつづけた鬼才』二〇一三・一
『現代性犯罪暗黒編　ある通り魔の告白』のときのこと――未発表二〇一四・一〇
「バッキャロー」の行方　石井輝男と高倉健――「キネマ旬報」二〇一五年一月下旬号
とんでもないシンデレラ姫　高峰秀子――「ユリイカ」二〇一五年四月号
作家のあこがれたもの　映画『そこのみにて光輝く』――「映画芸術」二〇一四年春号二〇一四・四
ベストワン、『笹の墓標』――『笹の墓標』パンフレット二〇一四・一
アピチャッポンとともに――『アピチャッポン・ウィーラセクタン　光と記憶のアーティスト』二〇一六・八
そうかなあ　追悼・室野井洋子――『追悼室野井洋子』二〇一七・一一
私の映画史
恋愛映画10本（外国映画篇）――「映画芸術」二〇〇九年春号二〇〇九・四
心に残る、珠玉の10本――「キネマ旬報」二〇〇九年一〇月下旬号
青春映画10本（外国映画篇）――映画芸術二〇〇九年秋号二〇〇九・一〇
画期的な溝口健二論　木下千花著『溝口健二論　映画の美学と政治学』――週刊読書人二〇一六・七・八

第三部　文学

世界文学のなかの中原中也――中原中也の會講演二〇一四・九・一三（中原中也研究第二〇号二〇一五・八）

世界文学のなかの中原中也　講演のための前置き――中原中也の會會報二〇一四・七

ノスタルジア、ウルトラ　トランストロンメルについてのメモ――「現代詩手帖」二〇一二年二月号

アメリカの詩　ゲーリー・スナイダー『奥の国』――「現代詩手帖」二〇一五年六月号

ルー・リードのニューヨーク――初出題「ぼくのルー・リード体験」文藝別冊『追悼ルー・リード』二〇一三・一二

スロヴェニアの愛――日本経済新聞二〇一五・三・八

傲慢さと謙虚さと「演じる」詩人、ボブ・ディラン――時事通信二〇一六・一〇

書けることを書く　ジム・トンプスン『綿畑の小屋』――『綿畑の小屋』（小林宏明訳）二〇一八・一〇

慎重さと冒険心　野呂邦暢――野呂邦暢小説集成6『猟銃・愛についてのデッサン』二〇一六・二

彼が抱きしめたもの　小島信夫――『小島信夫長篇集成2』月報二〇一五・一一

寒い春　追悼・吉本隆明――「現代詩手帖」二〇一二年五月号

蒼空を見つめる　追悼・平岡敏夫――「タンブルウィード」第四号二〇一八・九

実感からはじめる方法　追悼・加藤典洋――「現代詩手帖」二〇一九年七月号

福間健二
一九四九年、新潟県生まれ。詩人・映画監督、東京都立大学名誉教授。
二〇一一年、詩集『青い家』(思潮社)で萩原朔太郎賞、藤村記念歴程賞受賞。
詩集『会いたい人』(思潮社)、『休息のとり方』(而立書房)など。その他の
著書に『詩は生きている』(五柳書院)、『佐藤泰志　そこに彼はいた』(河出
書房新社)など。
映画『秋の理由』、『パラダイス・ロスト』など。

迷路と青空　詩を生き、映画を生きる

著者 福間健二

二〇二一年七月七日　初版発行

発行者小川康彦　発行所五柳書院　〒一〇一―〇〇六四東京都千代田区神田猿楽町一―五―一　電話〇三―三二九五―三二三六
振替〇〇一二〇―四―八七四七九　http://goryu-books.com　装丁大石一雄　印刷・製本誠宏印刷

五柳叢書 111